Jacques Prévert

Paroles

Gallimard

TENTATIVE DE DESCRIPTION
D'UN DÎNER DE TÊTES
À PARIS-FRANCE

Ceux qui pieusement[1] *...
Ceux qui copieusement...
Ceux qui tricolorent
Ceux qui inaugurent
Ceux qui croient
Ceux qui croient croire
Ceux qui croa-croa
Ceux qui ont des plumes
Ceux qui grignotent
Ceux qui andromaquent
Ceux qui dreadnoughtent
Ceux qui majusculent
Ceux qui chantent en mesure
Ceux qui brossent à reluire
Ceux qui ont du ventre
Ceux qui baissent les yeux
Ceux qui savent découper le poulet
Ceux qui sont chauves à l'intérieur de la tête
Ceux qui bénissent les meutes
Ceux qui font les honneurs du pied[2]
Ceux qui debout les morts

* Les notes appelées par chiffres ont été établies par Michel Bigot et Bruno Vercier et figurent p. 259.

Ceux qui baïonnette... on[3]
Ceux qui donnent des canons aux enfants
Ceux qui donnent des enfants aux canons
Ceux qui flottent et ne sombrent pas[4]
Ceux qui ne prennent pas Le Pirée pour un homme[5]
Ceux que leurs ailes de géants empêchent de voler[6]
Ceux qui plantent en rêve des tessons de bouteille
    sur la grande muraille de Chine
Ceux qui mettent un loup sur leur visage quand ils
    mangent du mouton
Ceux qui volent des œufs et qui n'osent pas les faire
    cuire
Ceux qui ont quatre mille huit cent dix mètres de
    Mont-Blanc, trois cents de Tour Eiffel, vingt-cinq
    centimètres de tour de poitrine et qui en sont fiers
Ceux qui mamellent de la France[7]
Ceux qui courent, volent et nous vengent[8], tous
    ceux-là, et beaucoup d'autres, entraient fièrement à
    l'Élysée en faisant craquer les graviers, tous ceux-là
    se bousculaient, se dépêchaient, car il y avait un
    grand dîner de têtes et chacun s'était fait celle qu'il
    voulait.

    L'un une tête de pipe en terre, l'autre une tête
d'amiral anglais; il y en avait avec des têtes de boule
puante, des têtes de Galliffet, des têtes d'animaux
malades de la tête[9], des têtes d'Auguste Comte, des
têtes de Rouget de Lisle, des têtes de sainte Thérèse,
des têtes de fromage de tête, des têtes de pied, des
têtes de monseigneur et des têtes de crémier.

    Quelques-uns, pour faire rire le monde, portaient
sur leurs épaules de charmants visages de veaux, et
ces visages étaient si beaux et si tristes, avec les
petites herbes vertes dans le creux des oreilles
comme le goémon dans le creux des rochers, que
personne ne les remarquait.

    Une mère à tête de morte montrait en riant sa fille à

tête d'orpheline au vieux diplomate ami de la famille qui s'était fait la tête de Soleilland[10].

C'était véritablement délicieusement charmant et d'un goût si sûr que lorsque arriva le Président avec une somptueuse tête d'œuf de Colomb ce fut du délire.

« C'était simple, mais il fallait y penser[11] », dit le Président en dépliant sa serviette, et devant tant de malice et de simplicité les invités ne peuvent maîtriser leur émotion ; à travers des yeux cartonnés de crocodile un gros industriel verse de véritables larmes[12] de joie, un plus petit mordille la table, de jolies femmes se frottent les seins très doucement et l'amiral, emporté par son enthousiasme, boit sa flûte de champagne par le mauvais côté, croque le pied de la flûte et, l'intestin perforé, meurt debout, cramponné au bastingage de sa chaise en criant : « Les enfants d'abord ! »

Étrange hasard, la femme du naufragé, sur les conseils de sa bonne, s'était, le matin même, confectionné une étonnante tête de veuve de guerre, avec les deux grands plis d'amertume de chaque côté de la bouche, et les deux petites poches de la douleur, grises sous les yeux bleus.

Dressée sur sa chaise, elle interpelle le Président et réclame à grands cris l'allocation militaire et le droit de porter sur sa robe du soir le sextant du défunt en sautoir.

Un peu calmée elle laisse ensuite son regard de femme seule errer sur la table et, voyant parmi les hors-d'œuvre des filets de hareng, elle en prend machinalement en sanglotant, puis en reprend, pensant à l'amiral qui n'en mangeait pas si souvent de son vivant et qui pourtant les aimait tant. Stop. C'est le chef du protocole qui dit qu'il faut s'arrêter de manger, car le Président va parler.

Le Président s'est levé, il a brisé le sommet de sa coquille avec son couteau pour avoir moins chaud, un tout petit peu moins chaud.

Il parle et le silence est tel qu'on entend les mouches voler et qu'on les entend si distinctement voler qu'on n'entend plus du tout le Président parler, et c'est bien regrettable parce qu'il parle des mouches, précisément, et de leur incontestable utilité dans tous les domaines et dans le domaine colonial en particulier.

« ... Car sans les mouches, pas de chasse-mouches, sans chasse-mouches pas de dey d'Alger[13], pas de consul... pas d'affront à venger, pas d'oliviers, pas d'Algérie, pas de grandes chaleurs, messieurs, et les grandes chaleurs, c'est la santé des voyageurs, d'ailleurs... »

Mais quand les mouches s'ennuient elles meurent, et toutes ces histoires d'autrefois, toutes ces statistiques les emplissant d'une profonde tristesse, elles commencent par lâcher une patte du plafond, puis l'autre, et tombent comme des mouches, dans les assiettes... sur les plastrons, mortes comme le dit la chanson.

« La plus noble conquête de l'homme, c'est le cheval, dit le Président... et s'il n'en reste qu'un, je serai celui-là. »

C'est la fin du discours; comme une orange abîmée lancée très fort contre un mur par un gamin mal élevé, la MARSEILLAISE éclate et tous les spectateurs éclaboussés par le vert-de-gris et les cuivres, se dressent congestionnés, ivres d'Histoire de France et de Pontet-Canet[14].

Tous sont debout, sauf l'homme à tête de Rouget de Lisle qui croit que c'est arrivé et qui trouve qu'après tout ce n'est pas si mal exécuté et puis, peu à peu, la musique s'est calmée et la mère à tête de morte en a profité pour pousser sa petite fille à tête d'orpheline du côté du Président.

Les fleurs à la main, l'enfant commence son compliment : « Monsieur le Président... » Mais l'émotion, la chaleur, les mouches, voilà qu'elle chancelle et qu'elle tombe le visage dans les fleurs, les dents serrées comme un sécateur.

L'homme à tête de bandage herniaire et l'homme à tête de phlegmon se précipitent, et la petite est enlevée, autopsiée et reniée par sa mère, qui, trouvant sur le carnet de bal de l'enfant des dessins obscènes comme on n'en voit pas souvent, n'ose penser que c'est le diplomate ami de la famille et dont dépend la situation du père qui s'est amusé si légèrement.

Cachant le carnet dans sa robe, elle se pique le sein avec le petit crayon blanc et pousse un long hurlement, et sa douleur fait peine à voir à ceux qui pensent qu'assurément voilà bien là la douleur d'une mère qui vient de perdre son enfant.

Fière d'être regardée, elle se laisse aller, elle se laisse écouter, elle gémit, elle chante :

« Où donc est-elle ma petite fille chérie, où donc est-elle ma petite Barbara qui donnait de l'herbe aux lapins et des lapins aux cobras ? »

Mais le Président, qui sans doute n'en est pas à son premier enfant perdu, fait un signe de la main et la fête continue.

Et ceux qui étaient venus pour vendre du charbon et du blé vendent du charbon et du blé et de grandes îles entourées d'eau de tous côtés, de grandes îles avec des arbres à pneus et des pianos métalliques bien stylés pour qu'on n'entende pas trop les cris des indigènes autour des plantations quand les colons facétieux essaient après dîner leur carabine à répétition.

Un oiseau sur l'épaule, un autre au fond du pantalon

pour le faire rôtir, l'oiseau, un peu plus tard à la maison, les poètes vont et viennent dans tous les salons.

« C'est, dit l'un d'eux, réellement très réussi. » Mais dans un nuage de magnésium le chef du protocole est pris en flagrant délit, remuant une tasse de chocolat glacé avec une cuiller à café.

« Il n'y a pas de cuiller spéciale pour le chocolat glacé, c'est insensé, dit le préfet, on aurait dû y penser, le dentiste a bien son davier, le papier son coupe-papier et les radis roses leurs raviers. »

Mais soudain tous de trembler car un homme avec une tête d'homme est entré, un homme que personne n'avait invité et qui pose doucement sur la table la tête de Louis XVI dans un panier.

C'est vraiment la grande horreur, les dents, les vieillards et les portes claquent de peur.

« Nous sommes perdus, nous avons décapité un serrurier[15] », hurlent en glissant sur la rampe d'escalier les bourgeois de Calais[16] dans leur chemise grise comme le cap Gris-Nez.

La grande horreur, le tumulte, le malaise, la fin des haricots, l'état de siège et dehors, en grande tenue, les mains noires sous les gants blancs, le factionnaire qui voit dans les ruisseaux du sang et sur sa tunique une punaise pense que ça va mal et qu'il faut s'en aller s'il en est encore temps.

« J'aurais voulu, dit l'homme en souriant, vous apporter aussi les restes de la famille impériale qui repose, paraît-il, au caveau Caucasien[17], rue Pigalle, mais les Cosaques qui pleurent, dansent et vendent à boire veillent jalousement leurs morts.

« On ne peut pas tout avoir, je ne suis pas Ruy Blas, je ne suis pas Cagliostro, je n'ai pas la boule de verre, je n'ai pas le marc de café. Je n'ai pas la barbe en ouate de ceux qui prophétisent. J'aime beaucoup rire en société, je parle ici pour les grabataires, je monologue pour les débardeurs, je phonographe pour les splendides idiots des boulevards extérieurs et c'est tout à fait par hasard si je vous rends visite dans votre petit intérieur.

« Premier qui dit : "Et ta sœur", est un homme mort. Personne ne le dit, il a tort, c'était pour rire.

« Il faut bien rire un peu et, si vous vouliez, je vous emmènerais visiter la ville mais vous avez peur des voyages, vous savez ce que vous savez et que la Tour de Pise est penchée et que le vertige vous prend quand vous vous penchez vous aussi à la terrasse des cafés.

« Et pourtant vous vous seriez bien amusés, comme le Président quand il descend dans la mine, comme Rodolphe au tapis-franc quand il va voir le chourineur[18], comme lorsque vous étiez enfant et qu'on vous emmenait au Jardin des Plantes voir le grand tamanoir.

« Vous auriez pu voir les truands sans cour des miracles, les lépreux sans cliquette[19] et les hommes sans chemise couchés sur les bancs, couchés pour un instant, car c'est défendu de rester là un peu longtemps.

« Vous auriez vu les hommes dans les asiles de nuit faire le signe de la croix pour avoir un lit, et les familles de huit enfants "qui crèchent à huit dans une chambre" et, si vous aviez été sages, vous auriez eu la chance et le plaisir de voir le père qui se lève parce qu'il a sa crise, la mère qui meurt doucement sur son dernier enfant, le reste de la famille qui s'enfuit en courant et qui, pour échapper à sa misère, tente de se frayer un chemin dans le sang.

« Il faut voir, vous dis-je, c'est passionnant, il faut voir à l'heure où le bon Pasteur[20] conduit ses brebis à la Villette[21], à l'heure où le fils de famille jette avec un bruit mou sa gourme sur le trottoir, à l'heure où les

13

enfants qui s'ennuient changent de lit dans leur dortoir, il faut voir l'homme couché dans son lit-cage[22] à l'heure où son réveil va sonner.

« Regardez-le, écoutez-le ronfler, il rêve, il rêve qu'il part en voyage, rêve que tout va bien, rêve qu'il a un coin, mais l'aiguille du réveil rencontre celle du train et l'homme levé plonge la tête dans la cuvette d'eau glacée si c'est l'hiver, fétide si c'est l'été.

« Regardez-le se dépêcher, boire son café-crème, entrer à l'usine, travailler, mais il n'est pas encore réveillé, le réveil n'a pas sonné assez fort, le café n'était pas assez fort, il rêve encore, rêve qu'il est en voyage, rêve qu'il a un coin, se penche par la portière et tombe dans un jardin, tombe dans un cimetière, se réveille et crie comme une bête, deux doigts lui manquent, la machine l'a mordu, il n'était pas là pour rêver et, comme vous pensez, ça devait arriver.

« Vous pensez même que ça n'arrive pas souvent et qu'une hirondelle ne fait pas le printemps, vous pensez qu'un tremblement de terre en Nouvelle-Guinée n'empêche pas la vigne de pousser en France, les fromages de se faire et la terre de tourner.

« Mais je ne vous ai pas demandé de penser ; je vous ai dit de regarder, d'écouter, pour vous habituer, pour n'être pas surpris d'entendre craquer vos billards le jour où les vrais éléphants viendront reprendre leur ivoire.

« Car cette tête si peu vivante que vous remuez sous le carton mort, cette tête blême sous le carton drôle, cette tête avec toutes ses rides, toutes ses grimaces instruites, un jour vous la hocherez avec un air détaché du tronc et, quand elle tombera dans la sciure, vous ne direz ni oui ni non.

« Et si ce n'est pas vous, ce sera quelques-uns des vôtres[23], car vous connaissez les fables avec vos bergers et vos chiens, et ce n'est pas la vaisselle cérébrale qui vous manque.

« Je plaisante, mais vous savez, comme dit l'autre, un rien suffit à changer le cours des choses. Un peu de fulmicoton dans l'oreille d'un monarque malade et le monarque explose. La reine accourt à son chevet. Il n'y a pas de chevet. Il n'y a plus de palais. Tout est plutôt ruine et deuil. La reine sent sa raison sombrer. Pour la réconforter, un inconnu, avec un bon sourire, lui donne le mauvais café[24]. La reine en prend, la reine en meurt et les valets collent des étiquettes sur les bagages des enfants. L'homme au bon sourire revient, ouvre la plus grande malle, pousse les petits princes dedans, met le cadenas à la malle, la malle à la consigne et se retire en se frottant les mains.

« Et quand je dis, Monsieur le Président, Mesdames, Messieurs : le Roi, la Reine, les petits princes, c'est pour envelopper les choses, car on ne peut pas raisonnablement blâmer les régicides qui n'ont pas de roi sous la main, s'ils exercent parfois leurs dons dans leur entourage immédiat.

« Particulièrement parmi ceux qui pensent qu'une poignée de riz suffit à nourrir toute une famille de Chinois pendant de longues années.

« Parmi celles qui ricanent dans les expositions parce qu'une femme noire porte dans son dos un enfant noir et qui portent depuis six ou sept mois dans leur ventre blanc un enfant blanc et mort.

« Parmi les trente mille personnes raisonnables, composées d'une âme et d'un corps, qui défilèrent le Six Mars à Bruxelles[25], musique militaire en tête, devant le monument élevé au Pigeon-Soldat et parmi celles qui défileront demain à Brive-la-Gaillarde, à Rosa-la-Rose ou à Carpa-la-Juive[26], devant le monument du Jeune et veau marin qui périt à la guerre comme tout un chacun... »

Mais une carafe lancée de loin par un colombophile indigné touche en plein front l'homme qui racontait comment il aimait rire. Il tombe. Le Pigeon-Soldat est vengé. Les cartonnés officiels écrasent la tête de l'homme à coups de pied et la jeune fille, qui trempe en souvenir le bout de son ombrelle dans le sang, éclate d'un petit rire charmant. La musique reprend.

La tête de l'homme est rouge comme une tomate trop rouge, au bout d'un nerf un œil pend, mais sur le visage démoli, l'œil vivant, le gauche, brille comme une lanterne sur des ruines.

« Emportez-le », dit le Président, et l'homme couché sur une civière et le visage caché par une pèlerine d'agent sort de l'Élysée horizontalement, un homme derrière lui, un autre devant.

« Il faut bien rire un peu », dit-il au factionnaire et le factionnaire le regarde passer avec ce regard figé qu'ont parfois les bons vivants devant les mauvais.

Découpée dans le rideau de fer de la pharmacie une étoile de lumière brille et, comme des rois mages en mal d'enfant Jésus, les garçons bouchers, les marchands d'édredons et tous les hommes de cœur contemplent l'étoile qui leur dit que l'homme est à l'intérieur, qu'il n'est pas tout à fait mort, qu'on est en train peut-être de le soigner et tous attendent qu'il sorte avec l'espoir de l'achever.

Ils attendent, et bientôt, à quatre pattes à cause de la trop petite ouverture du rideau de fer, le juge d'instruction pénètre dans la boutique, le pharmacien l'aide à se relever et lui montre l'homme mort, la tête appuyée sur le pèse-bébé.

Et le juge se demande, et le pharmacien regarde le juge se demander si ce n'est pas le même homme qui jeta des confetti sur le corbillard du maréchal et qui, jadis, plaça la machine infernale sur le chemin du petit caporal[27].

Et puis ils parlent de leurs petites affaires, de leurs enfants, de leurs bronches; le jour se lève, on tire les rideaux chez le Président.

16

Dehors, c'est le printemps, les animaux, les fleurs, dans les bois de Clamart on entend les clameurs des enfants qui se marrent, c'est le printemps, l'aiguille s'affole dans sa boussole, le binocard[28] entre au bocard[29] et la grande dolichocéphale sur son sofa s'affale et fait la folle.

Il fait chaud. Amoureuses, les allumettes-tisons se vautrent sur leur trottoir, c'est le printemps, l'acné des collégiens, et voilà la fille du sultan et le dompteur de mandragores, voilà les pélicans, les fleurs sur les balcons, voilà les arrosoirs, c'est la belle saison.

Le soleil brille pour tout le monde, il ne brille pas dans les prisons, il ne brille pas pour ceux qui travaillent dans la mine,

ceux qui écaillent le poisson

ceux qui mangent la mauvaise viande

ceux qui fabriquent les épingles à cheveux

ceux qui soufflent vides les bouteilles que d'autres boiront pleines

ceux qui coupent le pain avec leur couteau

ceux qui passent leurs vacances dans les usines

ceux qui ne savent pas ce qu'il faut dire

ceux qui traient les vaches et ne boivent pas le lait

ceux qu'on n'endort pas chez le dentiste

ceux qui crachent leurs poumons dans le métro

ceux qui fabriquent dans les caves les stylos avec lesquels d'autres écriront en plein air que tout va pour le mieux

ceux qui en ont trop à dire pour pouvoir le dire

ceux qui ont du travail

ceux qui n'en ont pas

ceux qui en cherchent

ceux qui n'en cherchent pas

ceux qui donnent à boire aux chevaux

ceux qui regardent leur chien mourir

ceux qui ont le pain quotidien relativement hebdomadaire

ceux qui l'hiver se chauffent dans les églises
ceux que le suisse envoie se chauffer dehors
ceux qui croupissent
ceux qui voudraient manger pour vivre
ceux qui voyagent sous les roues
ceux qui regardent la Seine couler
ceux qu'on engage, qu'on remercie, qu'on augmente, qu'on diminue, qu'on manipule, qu'on fouille, qu'on assomme
ceux dont on prend les empreintes
ceux qu'on fait sortir des rangs au hasard et qu'on fusille
ceux qu'on fait défiler devant l'Arc[30]
ceux qui ne savent pas se tenir dans le monde entier
ceux qui n'ont jamais vu la mer
ceux qui sentent le lin parce qu'ils travaillent le lin
ceux qui n'ont pas l'eau courante
ceux qui sont voués au bleu horizon[31]
ceux qui jettent le sel sur la neige moyennant un salaire absolument dérisoire
ceux qui vieillissent plus vite que les autres
ceux qui ne se sont pas baissés pour ramasser l'épingle[32]
ceux qui crèvent d'ennui le dimanche après-midi
parce qu'ils voient venir le lundi
et le mardi, et le mercredi, et le jeudi, et le vendredi
et le samedi
et le dimanche après-midi.

1931.

HISTOIRE DU CHEVAL

Braves gens écoutez ma complainte
écoutez l'histoire de ma vie
c'est un orphelin qui vous parle
qui vous raconte ses petits ennuis
hue donc...
Un jour un général
ou bien c'était une nuit
un général eut donc
deux chevaux tués sous lui[33]
ces deux chevaux c'étaient
hue donc...
que la vie est amère
c'étaient mon pauvre père
et puis ma pauvre mère
qui s'étaient cachés sous le lit
sous le lit du général qui
qui s'était caché à l'arrière
dans une petite ville du Midi.
Le général parlait
parlait tout seul la nuit
parlait en général de ses petits ennuis
et c'est comme ça que mon père
et c'est comme ça que ma mère
hue donc...

une nuit sont morts d'ennui.
Pour moi la vie de famille était déjà finie
sortant de la table de nuit
au grand galop je m'enfuis
je m'enfuis vers la grande ville
où tout brille et tout luit
en moto j'arrive à Sabi en Paro
excusez-moi je parle cheval
un matin j'arrive à Paris en sabots
je demande à voir le lion
le roi des animaux
je reçois un coup de brancard
sur le coin du naseau
car il y avait la guerre
la guerre qui continuait
on me colle des œillères
me v'là mobilisé
et comme il y avait la guerre
la guerre qui continuait
la vie devenait chère
les vivres diminuaient
et plus ils diminuaient
plus les gens me regardaient
avec un drôle de regard
et les dents qui claquaient
ils m'appelaient beefsteak
je croyais que c'était de l'anglais
hue donc...
tous ceux qu'étaient vivants
et qui me caressaient
attendaient que j'sois mort
pour pouvoir me bouffer.
Une nuit dans l'écurie
une nuit où je dormais
j'entends un drôle de bruit
une voix que je connais

c'était le vieux général
le vieux général qui revenait
qui revenait comme un revenant
avec un vieux commandant
et ils croyaient que je dormais
et ils parlaient très doucement.
Assez assez de riz à l'eau
nous voulons manger de l'animau
y a qu'à lui mettre dans son avoine
des aiguilles de phono.
Alors mon sang ne fit qu'un tour
comme un tour de chevaux de bois
et sortant de l'écurie
je m'enfuis dans les bois.

Maintenant la guerre est finie
et le vieux général est mort
est mort dans son lit
mort de sa belle mort
mais moi je suis vivant et c'est le principal
bonsoir
bonne nuit
bon appétit mon général.

LA PÊCHE À LA BALEINE

À la pêche à la baleine, à la pêche à la baleine,
Disait le père d'une voix courroucée
À son fils Prosper, sous l'armoire allongé,
À la pêche à la baleine, à la pêche à la baleine,
Tu ne veux pas aller,
Et pourquoi donc?
Et pourquoi donc que j'irais pêcher une bête
Qui ne m'a rien fait, papa,
Va la pépé, va la pêcher toi-même,
Puisque ça te plaît,
J'aime mieux rester à la maison avec ma pauvre mère
Et le cousin Gaston.
Alors dans sa baleinière le père tout seul s'en est allé
Sur la mer démontée...
Voilà le père sur la mer,
Voilà le fils à la maison,
Voilà la baleine en colère,
Et voilà le cousin Gaston qui renverse la soupière,
La soupière au bouillon.
La mer était mauvaise,
La soupe était bonne.
Et voilà sur sa chaise Prosper qui se désole :
À la pêche à la baleine, je ne suis pas allé,
Et pourquoi donc que j'y ai pas été?

Peut-être qu'on l'aurait attrapée,
Alors j'aurais pu en manger.
Mais voilà la porte qui s'ouvre, et ruisselant d'eau
Le père apparaît hors d'haleine,
Tenant la baleine sur son dos.
Il jette l'animal sur la table, une belle baleine aux
  yeux bleus,
Une bête comme on en voit peu,
Et dit d'une voix lamentable :
Dépêchez-vous de la dépecer,
J'ai faim, j'ai soif, je veux manger.
Mais voilà Prosper qui se lève,
Regardant son père dans le blanc des yeux,
Dans le blanc des yeux bleus de son père,
Bleus comme ceux de la baleine aux yeux bleus :
Et pourquoi donc je dépècerais une pauvre bête qui
  m'a rien fait ?
Tant pis, j'abandonne ma part.
Puis il jette le couteau par terre,
Mais la baleine s'en empare, et se précipitant sur le
  père
Elle le transperce de père en part.
Ah, ah, dit le cousin Gaston,
Ça me rappelle la chasse, la chasse aux papillons.
Et voilà
Voilà Prosper qui prépare les faire-part,
La mère qui prend le deuil de son pauvre mari
Et la baleine, la larme à l'œil contemplant le foyer
  détruit.
Soudain elle s'écrie :
Et pourquoi donc j'ai tué ce pauvre imbécile,
Maintenant les autres vont me pourchasser en moto-
  godille[34]
Et puis ils vont exterminer toute ma petite famille.
Alors, éclatant d'un rire inquiétant,
Elle se dirige vers la porte et dit

À la veuve en passant :
Madame, si quelqu'un vient me demander,
Soyez aimable et répondez :
La baleine est sortie,
Asseyez-vous,
Attendez là,
Dans une quinzaine d'années, sans doute elle revien-
dra...

LA BELLE SAISON

À jeun perdue glacée
Toute seule sans un sou
Une fille de seize ans
Immobile debout
Place de la Concorde
À midi le Quinze Août.

ALICANTE

Une orange sur la table
Ta robe sur le tapis
Et toi dans mon lit
Doux présent du présent
Fraîcheur de la nuit
Chaleur de ma vie.

SOUVENIRS DE FAMILLE
OU
L'ANGE GARDE-CHIOURME

Nous habitions une petite maison aux Saintes-Maries-de-la-Mer où mon père était établi banda-giste.

C'était un grand savant. Un homme très comme il faut et d'une rectitude de vie qui commandait le respect; chaque matin les moustiques lui piquaient la main gauche, chaque soir il perçait les cloques avec un cure-dents japonais et des petits jets d'eau se mettaient à jaillir. C'était très beau, mais cela faisait rire mes frères, alors mon père giflait l'un d'entre eux au hasard, s'enfuyait en pleurant et s'enfermait dans la cuisine qui lui servait de laboratoire.

Là, il travaillait silencieusement et près de lui, Marie-Rose, notre vieille bonne, préparait le dîner. Des bardes de lard et des bandages herniaires traînaient sur le buffet, et des bocaux remplis de cerises à l'eau-de-vie voisinaient avec d'autres où baignaient doucement dans l'alcool des vers solitaires et des bébés inachevés.

Distraite, la vieille confondait quelquefois la cloche à fromage avec la machine pneumatique ou bien elle pressait ingénument la purée de marrons avec le tampon buvard, et quand, tant bien que mal, le repas était prêt, mon père sonnait de la trompe et tout le monde se mettait à table.

Les mouches et tous les rampants du pays grouillaient sur la nappe, et les cafards sortaient du pain en se faisant des politesses et tout ce petit peuple courait à ses affaires, se planquait sous les assiettes, plongeait dans le potage et nous croquait sous la dent.

Il y avait aussi un Prêtre ; il était là pour l'Éducation ; il mangeait.

Mon père était l'inventeur d'une jambe artificielle perfectionnée ; sa fortune était liée à celle de la Revanche[35] ; aussi, à chaque repas, évoquait-il en hochant douloureusement la tête le calvaire des cigognes françaises captives dans les clochers de Strasbourg.

L'abbé l'écoutait avec émotion, puis, se levant d'un coup, comme un dieu qui sort de sa boîte, la bouche pleine et brandissant sa fourchette, il lançait l'anathème contre l'école sans Dieu, les ménages sans enfants, les filles sans pantalons[36] et la capitale ivre d'ingratitude.

Et puis c'était la jambe, la fameuse jambe.

— Vous saisissez, l'abbé, disait mon père, une vraie jambe pour ainsi dire, une jambe plus vraie que nature. Une jambe de coureur, légère et douce, une jambe de plume et qui se remonte comme un réveil !

Et, me regardant, puis regardant mes frères avec une immense tendresse, il cherchait à deviner lequel d'entre nous, plus tard, aurait la chance de porter sur sa poitrine la croix des braves et sous son pantalon l'objet d'art, la délicieuse mécanique, la jambe paternelle.

D'une voix qui s'avinait peu à peu, il parlait de ma pauvre mère « morte si jeune et si belle que des inconnus en pleuraient » ; il roulait enfin sous la table en tirant la nappe comme un suaire.

On allait se coucher, le lendemain on se levait, ainsi, tous les jours, les jours faisaient la queue les uns derrière les autres, le lundi qui pousse le mardi, qui pousse le mercredi et ainsi de suite des saisons.

Les saisons, le vent, la mer, les arbres, les oiseaux. Les oiseaux, ceux qui chantent, qui partent en voyage, ceux qu'on tue; les oiseaux plumés, vidés, mangés cuits dans les poèmes ou cloués sur les portes des granges.

La viande aussi, le pain, l'abbé, la messe, mes frères, les légumes, les fruits, un malade, le docteur, l'abbé, un mort, l'abbé, la messe des morts, les feuilles vivantes, Jésus-Christ tombe pour la première[37] fois, le Roi Soleil, le pélican lassé[38], le plus petit commun multiple, le général Dourakine[39], le Petit Chose[40], notre bon ange, Blanche de Castille, le petit tambour Bara, le Fruit de nos entrailles[41], l'abbé, tout seul ou avec un petit camarade, le renard, les raisins[42], la retraite de Russie, Clanche de Bastille, l'asthme de Panama et l'arthrite de Russie[43], les mains sur la table, J.-C. tombe pour la nième fois, il ouvre un large bec et laisse tomber le fromage pour réparer des ans l'irréparable outrage[44], le nez de Cléopâtre dans la vessie de Cromwell[45] et voilà la face du monde changée, ainsi on grandissait, on allait à la messe, on s'instruisait et quelquefois on jouait avec l'âne dans le jardin.

Un jour mon père reçut la Roséole[46] de la légion d'honneur et perdit beaucoup de cheveux, il bégaya aussi un peu et prit l'habitude de parler tout seul; l'abbé le regarda en hochant tristement la tête.

L'abbé, c'était un homme en robe avec des yeux très mous et de longues mains plates et blêmes; quand elles remuaient, cela faisait assez penser à des poissons crevant sur une pierre d'évier. Il nous lisait toujours la même histoire, triste et banale histoire d'un homme d'autrefois[47] qui portait un bouc au menton, un agneau sur les épaules et qui mourut cloué sur deux planches de salut, après avoir beaucoup pleuré sur lui-même dans un jardin, la nuit. C'était un fils de famille, qui parlait toujours de son père — mon père par-ci, mon père par-là, le Royaume de mon père, et il racontait des histoires aux malheureux qui l'écoutaient avec admiration, parce qu'il parlait bien et qu'il avait de l'instruction.

Il dégoitrait les goitreux et, lorsque les orages touchaient à leur fin, il étendait la main et la tempête s'apaisait.

Il guérissait aussi les hydropiques, il leur marchait sur le ventre en disant qu'il marchait sur l'eau, et l'eau qui leur sortait du ventre il la changeait en vin ; à ceux qui voulaient bien en boire il disait que c'était son sang.

Assis sous un arbre, il parabolait : « Heureux les pauvres d'esprit, ceux qui ne cherchent pas à comprendre, ils travailleront dur, ils recevront des coups de pied au cul, ils feront des heures supplémentaires qui leur seront comptées plus tard dans le royaume de mon père. »

En attendant, il leur multipliait les pains, et les malheureux passaient devant les boucheries en frottant seulement la mie contre la croûte, ils oubliaient peu à peu le goût de la viande, le nom des coquillages et n'osaient plus faire l'amour.

Le jour de la pêche miraculeuse, une épidémie d'urticaire s'abattit sur la région ; de ceux qui se grattèrent trop fort, il dit qu'ils étaient possédés du démon, mais il guérit sur-le-champ un malheureux centurion qui avait avalé une arête et cela fit une grosse impression.

Il laissait venir à lui les petits enfants ; rentrés chez eux, ceux-ci tendaient à la main paternelle qui les fessait durement la fesse gauche après la droite, en comptant plaintivement sur leurs doigts le temps qui les séparait du royaume en question.

Il chassait les marchands de lacets du Temple : pas de scandale, disait-il, surtout pas de scandale, ceux qui frapperont par l'épée périront par l'épée... Les bourreaux professionnels crevaient de vieillesse dans leur lit, personne ne touchant un rond, tout le monde recevait des gifles, mais il défendait de les rendre à César.

Ça n'allait déjà plus tout seul, quand un jour le voilà qui trahit Judas, un de ses aides. Une drôle d'histoire : il prétendit savoir que Judas devait le dénoncer du doigt à des gens qui le connaissaient fort bien lui-même depuis longtemps, et, sachant que Judas devait le trahir, il ne le prévint pas.

Bref, le peuple se met à hurler Barabbas, Barabbas, mort aux vaches, à bas la calotte et, crucifié entre deux souteneurs dont un indicateur, il rend le dernier soupir, les femmes se vautrent sur le sol en hurlant leur douleur, un coq chante et le tonnerre fait son bruit habituel.

Confortablement installé sur son nuage amiral, Dieu le père, de la maison Dieu père fils Saint-Esprit et Cie, pousse un immense soupir de satisfaction, aussitôt deux ou trois petits nuages subalternes éclatent avec obséquiosité et Dieu père s'écrie : « Que je sois loué, que ma sainte raison sociale soit bénie, mon fils bien-aimé a la croix, ma maison est lancée ! »

Aussitôt il passe les commandes et les grandes manufactures de scapulaires entrent en transe, on refuse du monde aux catacombes et, dans les familles qui méritent ce nom, il est de fort bon ton d'avoir au moins deux enfants dévorés par les lions.

— Eh bien, eh bien, je vous y prends, petits saltimbanques, à rire de notre sainte religion. Et l'abbé qui nous écoutait derrière la porte arrive vers nous, huileux et menaçant.

Mais depuis longtemps ce personnage, qui parlait

les yeux baissés en tripotant ses médailles saintes comme un gardien de prison ses clefs, avait cessé de nous impressionner et nous le considérions un peu comme les différents ustensiles qui meublaient la maison et que mon père appelait pompeusement « les souvenirs de famille » : les armoires provençales, les bains de siège, les poteaux-frontière, les chaises à porteurs et les grandes carapaces de tortue.

Ce qui nous intéressait, ce que nous aimions, c'était Costal l'Indien, c'était Sitting-Bull, tous les chasseurs de chevelures ; et quelle singulière idée de nous donner pour maître un homme au visage pâle et à demi scalpé.

— Petits malheureux, vous faites pleurer votre bon ange, n'avez-vous pas honte ? dit l'abbé.

Nous éclatâmes de rire tous ensemble et Edmond, celui de mes frères à qui on attachait les mains la nuit depuis qu'il avait eu la stupide candeur de trop parler à confesse, prit la parole.

— Assez, l'abbé, assez. Gardez pour vous vos stupides histoires d'anges gardes-chiourme qui rôdent la nuit dans les chambres, allez faire vos dragonnades ailleurs et sachez qu'à partir d'aujourd'hui, dans cette maison, ce ne seront plus les coccinelles mais les punaises qui porteront le nom de bêtes à bon Dieu. J'ai dit.

Et la bagarre éclate, l'abbé lève le bras pour frapper, je me baisse et mords l'abbé à la cuisse, il hurle, je cours à la cuisine pour me rincer la bouche, je reviens et mon père arrive à son tour en hurlant.

— Vilains petits messieurs, vous ne ferez pas votre première communion ! La honte s'empare de lui, le tord en deux, lui donne un coup au foie et le jette dans un fauteuil, une touffe de cheveux à la main.

Puis, se levant subitement il va droit à l'abbé : « Quant à vous, filez, vous n'avez pas réussi, comme

c'était convenu, à faire prendre à ces enfants le messie pour une lanterne ; d'ailleurs, d'ailleurs vos plaisanteries avec Marie-Rose et... sacré nom de Dieu,
foutez-moi le camp. Et tout de suite ! »

— Vous ne me le direz pas deux fois, dit l'abbé. Sa
pomme d'Adam se met à rouler dans sa gorge comme
une boule de naphtaline dans un vieux gilet de flanelle il baisse le regard et s'enfuit très digne, à
reculons.

— Martyr, c'est pourrir un peu, dit mon père d'une
voix très douce et, enlevant son pantalon, il le plie
soigneusement, le met sous son bras et descend dans
le jardin en chantant à tue-tête une chanson qui nous
sembla alors particulièrement effroyable.

C'était le Credo du paysan avec un petit mélange
de Timélou la mélou pan pan ti mela padi la melou
cocondou la Baya.

Effrayés, nous étions dans notre chambre quand
Marie-Rose nous apporta une lettre et s'écroula sur le
sol en hurlant : « Monsieur est parti, parti, parti !... »

Je lus la lettre à haute voix : « Mes enfants, considérez-vous comme orphelins jusqu'à mon retour peu
probable. Ludovic. »

Cette lettre nous parut d'autant plus surprenante
que notre père portait depuis toujours le nom de Jean-
Benoît.

— C'est nous les maîtres du bordel, dit mon frère
le vicieux.

J'avais dix ans, j'étais l'aîné, je devenais chef de
famille et, m'accoudant à la fenêtre, je sentis la barre
d'appui qui craquait sous le poids de mes responsabilités.

Nous prîmes le demi-deuil, ripolin noir jusqu'à la
ceinture et guêtres blanches le dimanche, et une nouvelle vie commença, un peu différente de la précédente mais toujours lune et soleil alternativement.

Un soir, la bonne s'enfuit après avoir étouffé le chien; c'était sa manie d'ailleurs d'étouffer les animaux : dans le pays on l'appelait l'ogresse et le bruit courait qu'elle avait essayé avec l'âne, mais que l'âne l'avait mordue.

Un de mes frères attrapa le tétanos et mourut. On s'ennuyait épouvantablement, tous les jours ressemblaient au dimanche; dans la rue les gens marchaient sérieusement, verticalement, et sur la plage, ils se déshabillaient, se baignaient, se noyaient, se sauvaient, se rhabillaient et se congratulaient avec une désolante ponctualité; tout s'en mêlait, le pain sur le paillasson, le monsieur qui vient pour le gaz et les cloches pour les morts, pour ceux qui se marient.

Une ou deux fois par mois un gros propriétaire organisait des courses de taureaux : c'était ma seule distraction.

On mettait les taureaux sur un rang, derrière une corde; un bonhomme tirait un coup de pistolet, un autre coupait la corde et les taureaux partaient au grand galop et faisaient plusieurs fois le tour de l'église. Le premier arrivé était châtré en grande pompe et prenait le titre de bœuf.

C'est un jour de courses que je regardai de très près et pour la première fois les yeux d'une petite fille. Il faisait très chaud, très lourd, il y avait des gens qui sentaient la sueur et la nourriture, d'autres qui se battaient à coups de fourche et qui appelaient les taureaux par leur nom.

Un grand imbécile avait glissé sa large main dans le corsage d'une femme pour chercher, disait-il, un trèfle à quatre feuilles; tous les voisins riaient, la femme se laissait faire, la main montait et redescendait jusqu'aux fesses, les taureaux passaient et repassaient au grand galop et la femme poussait des petits cris en remuant son dos et ses fesses. Tout le monde criait, gueulait et tous les cris s'en allaient dans la campagne, enveloppés de moustiques et de poussière.

Près de moi, une petite fille, les dents plantées dans la balustrade, regardait les taureaux courir.

Soudain elle me pince le bras jusqu'au sang, se tourne vers moi et me dit : « Regarde Hector, il est tombé. »

Un jeune taureau est allongé sur le sol, tranquille, on dirait qu'il rêve, les hommes qui ont parié pour lui jettent des pierres et des mégots sur cet animal impassible.

— C'est le taureau de ma maison, dit la petite fille en riant, il s'est laissé tomber exprès, il est rusé, il ne veut pas être châtré, et il a bien raison.

« Tu sais, les gens qu'on châtre, c'est épouvantable, ils ont les yeux éteints, ils ont de la mort sur la figure.

« Regarde mes yeux à moi, ils sont vivants, ils dansent comme ceux d'Hector, les tiens aussi, ils racontent !

« Je t'ai vu une fois à la messe, tu étais avec d'autres garçons, tu n'aimes pas ça, hein ? moi non plus, mais quand ils font marcher leur petite sonnette et que tout le monde se met à quatre pattes, je reste toujours debout, personne ne me voit, je domine.

« Il y a un prêtre qui demeure chez toi, un bœuf, quoi ! c'est terrible, tu sais, il y a des femmes qui sont prêtres, avec de grands oiseaux blancs sur la tête et un nez tout mince, tout mince, on devrait les habiller en homme, ce serait plus juste. »

Je l'écoute — avant, je n'avais jamais écouté personne — je l'écoute et je voudrais lui dire qu'elle vienne à la maison, que tout le monde est parti, que c'est moi le chef, mais la course est finie et la foule nous sépare.

Les hommes et les femmes se piétinent, il y en a qui

bavent, je saigne du nez, on m'entraîne, on me couche.

Quarante de fièvre et l'abbé grand comme une tour qui cloue mon père sur l'armoire à glace, la glace se casse et au fond d'un trou la petite fille allongée dans l'herbe avec, entre les dents, un petit sachet de lavande.

Guéri, je sus son nom : elle s'appelait Étiennette, c'était la fille de l'équarrisseur d'Aigues-Mortes ; moi, je l'appelais Coquillage parce qu'elle m'avait pincé dans une foule qui ressemblait à la mer.

Je pensais tous les jours à elle, mais Aigues-Mortes était pour moi une ville très lointaine et le nom même de cette ville me faisait atrocement peur.

À la maison, la liberté commençait à nous gêner, nous attendions quelque chose de nouveau, le retour de notre père, par exemple.

Un jour, j'allai chercher l'âne dans le jardin et, mes frères m'aidant, je le portai au grenier après l'avoir coiffé d'une petite casquette anglaise avec deux trous pour les oreilles.

Chaque matin nous allions rejoindre l'animal et, suivant un tour strictement établi, nous demandions tristement à la pauvre bête qui regardait par la fenêtre :

— Sir âne[48], sir âne, ne vois-tu rien venir ?

Si stupide, si niais que puisse paraître à un monsieur correct et instruit un semblable manège, il n'en est pas moins vrai qu'un matin, très tôt, l'âne se met à braire en agitant sa casquette, réveille toute la ville et, sautant par la fenêtre, galope à la rencontre d'un nuage de poussière qu'il ramène aussitôt sur son dos.

Le tout en cinquante-sept secondes, chronométrées par mon frère Ernest le sportif.

Le nuage de poussière, c'était notre pauvre père vêtu d'un vieux costume de sport et coiffé d'un sombrero mexicain.

Il nous regarde silencieusement et nous compte. Voyant qu'il en manque un, il écrase furtivement une larme sur sa joue comme une punaise sur un mur et, prenant le plus petit d'entre nous sous son bras, il le fesse méthodiquement.

Le petit hurle et mon père s'écrie :

— Je n'ai pas mangé depuis trois semaines, le déjeuner est-il prêt? Le hasard. Notre vieille bonne Marie-Rose, qui ne craignait personne pour les coïncidences, est là, fidèle au poste, un chien tout neuf dans ses bras pour remplacer l'autre.

— Monsieur est servi, murmure-t-elle avec une touchante simplicité.

— Je n'aime pas le chien, répond mon père, j'en ai mangé en Chine et je trouve cela mauvais.

Ah, sublime quroquipi, charmant quiproquo familial, ce vieux papa prodigue, cette vieille servante, ce vieil âne dans cette vieille maison avec les vieux arbres de ce vieux jardin!

Comme autrefois, le père sonne de la trompe et nous nous dirigeons au pas cadencé vers la salle à manger.

Mais sitôt le déjeuner commencé, sitôt servi le potage à la tortue, le père se lève avec de singulières lumières dans les yeux, grimpe sur le buffet et piétine sauvagement les hors-d'œuvre tout en tenant un discours assez décousu.

— De la tortue, ça, vous voulez rire! servez-moi la tortue dans sa carapace d'origine ou alors ce n'est plus un repas de famille.

« Servez-moi la glace dans son armoire, et l'armoire dans son arbre, ou donnez-moi simplement de la jambe de poulet, mais n'essayez pas avec moi, n'essayez pas, vous dis-je, j'ai vu trop d'arbres, des arbres comme ceux d'ici, chauves l'hiver, frisés l'été, plus grands ou plus petits mais d'un bois à vous dégoûter des guéridons, et les crocodiles aussi, d'ailleurs, je ne peux plus les blairer, entendez-moi, salés, je dis les gros crocodiles, les énormes, ceux qui pleurent de honte à la vue d'un sac à main et tous les grands animaux nuisibles à l'agriculture qui vont chercher du boulot dans les manufactures.

« Et le jour de Noël, je revenais en pirogue, on ne savait pas quoi faire, rire en plein air, manger de l'homme, boire l'urine des morts, ou chanter la chanson.

« Tout nu, les jambes pareilles, je m'endors sur le sable et voilà votre mère morte qui vient manger dans ma main, brouter mon poil.

« Je gueule, je me réveille et les voilà tous autour de moi, les grands encroupés d'eau douce, les zouaves, les chiens du commissaire, les missionnaires à queue prenante.

« Ils m'ont chauffé mon bifton, mon petit ticket de quai et m'ont laissé pour mort en plein désert avec un chameau dans la gorge.

« Rendez-vous compte, salés[49], voyez-les opérer, ils posent un bouton de col sur le sable, le bouton brille et le nègre vient.

« Le nègre se baisse et ils lui plantent un crucifix ou un tricolore dans le dos.

« Moi qui vous cause, j'étais tout seul, comme un petit baigneur dans un pétrin mécanique, tout seul avec les autruches.

« C'est facile (qu'ils disaient) pour savoir l'heure : soufflez-leur dans les yeux.

« Ça vous casse une jambe d'un coup de patte et quand on peut en poisser une, c'est une autruche qui avance, ou qui retarde, j'en ai vu une qui avalait des réveils, ça sonnait, ça faisait peur.

« Et pourtant quand j'étais jeunot, c'était dur pour me posséder ; j'ai plongé un juteux[50] dans le baquet aux eaux grasses, et, hoquet par hoquet, je lui ai rendu les honneurs militaires.

« Ils m'ont sapé dur[51], dix ans ! mais qu'est-ce j'ai eu là-bas comme girons[52], ils lavaient mon linge, ils mâchaient ma viande.

« En revenant j'ai connu votre mère, je faisais Poléon à la terrasse des cafés avec un vieux chapeau mou, tout de suite je l'ai eu dur pour elle, je me suis défendu à la trouvaille, à la sauvette.

« Et puis on s'est retiré, on s'est mis au pain bénit, et je vous ai possédés, petit monde, le coup des petits jets d'eau c'était avec un soulève-plat.

« Aujourd'hui, salés, j'en ai ma claque, je suis à la traîne, ridé, foutu.

« Foutu, je suis foutu, honnête, j'suis dévoré de la légion d'honneur... »

Mais il tombe du buffet, raide, si raide qu'on dirait du meuble qu'il craque et que c'est une planche qui tombe.

La porte s'ouvre soudain et barbu, jovial, méconnaissable, l'abbé apparaît, un bonnet de police crânement posé sur la tonsure et des bandes molletières dépassant sous la soutane.

— Ça y est, dit-il, ça y est, ah, mes enfants, mes chers petits enfants !

« Être patient et être poire, ça fait deux, ça ne pouvait pas durer, enfin la fille aînée de l'Église se réveille, c'est une véritable croisade !

« Des voleurs, des Huns ! En 70 ils ont volé nos pendules pour qu'on n'entende pas sonner l'heure de la revanche, ils ont volé le plan de la femme-torpille et celui du paquetage carré.

« Des sauvages ! Ils ont tout pillé, ils ont brûlé Jeanne d'Arc et, si on les avait laissés faire, ils auraient tondu le Lion de Belfort en caniche.

« Mais heureusement que nous sommes un peu là,

et que celui (avec un geste vers la suspension) qui est Là-Haut est un peu là aussi.

« Pas vrai, les enfants? mais qu'est-ce, qu'est-ce qui se passe? » Et se penchant sur notre père, il essaie de le ranimer et lui parle de la jambe, la fameuse jambe sur qui le pays compte.

Mais il ne suffit pas d'une histoire de jambe artificielle et sans doute imaginaire pour réveiller un homme mort. L'abbé se lève et, le petit doigt sur la couture de la soutane, récite la prière des agonisants.

Une femme passe la tête par la porte entrouverte, un sein lui sort du corsage, elle interpelle l'abbé.

— Viens donc, gros monstre, je te ferai la petite sœur des pauvres en ciseaux!

L'abbé interrompt sa prière, et regarde la femme en riant.

C'est la guerre, dehors le tocsin sonne. Tout le monde court, tout le monde s'embrasse, on boit, on se pince les fesses, on fait des jeunes pour la prochaine.

C'est la guerre; le soir, deux bergers, deux idiots de village, enfermés dans une grange, se couperont la gorge pour ne pas y aller.

On ne les enterrera pas à l'église ni plus tard sous l'arc de triomphe : c'est toujours cela de gagné.

1930.

J'EN AI VU PLUSIEURS...

J'en ai vu un qui s'était assis sur le chapeau d'un autre
il était pâle
il tremblait
il attendait quelque chose... n'importe quoi...
la guerre... la fin du monde...
il lui était absolument impossible de faire un geste ou
    de parler
et l'autre
l'autre qui cherchait « son » chapeau était plus pâle
    encore
et lui aussi tremblait
et se répétait sans cesse
mon chapeau... mon chapeau...
et il avait envie de pleurer.
J'en ai vu un qui lisait les journaux
j'en ai vu un qui saluait le drapeau
j'en ai vu un qui était habillé de noir
il avait une montre
une chaîne de montre
un porte-monnaie
la légion d'honneur
et un pince-nez.
J'en ai vu un qui tirait son enfant par la main et qui
    criait...

j'en ai vu un avec un chien
j'en ai vu un avec une canne à épée
j'en ai vu un qui pleurait
j'en ai vu un qui entrait dans une église
j'en ai vu un autre qui en sortait...

POUR TOI MON AMOUR

Je suis allé au marché aux oiseaux
Et j'ai acheté des oiseaux
Pour toi
mon amour
Je suis allé au marché aux fleurs
Et j'ai acheté des fleurs
Pour toi
mon amour
Je suis allé au marché à la ferraille
Et j'ai acheté des chaînes
De lourdes chaînes
Pour toi
mon amour
Et puis je suis allé au marché aux esclaves
Et je t'ai cherchée
Mais je ne t'ai pas trouvée
mon amour

LES GRANDES INVENTIONS

Écoutez comme elle craque le soir l'armoire
la grande armoire à glace
la grande armoire à rafraîchir
la grande armoire à glace à rafraîchir la mémoire des
    lièvres
Il y a un lièvre dans chaque tiroir
et chaque lièvre dans le froid rafraîchi
comme un fruit glacé
comme un marron glacé
se trouve comme ça soudain
plongé dans son passé
mais ils ne se rappellent rien du tout
les lièvres
Mais l'homme savant a beau perfectionner les
    meubles
et supplier tremblant de fièvre
les lièvres
et faire l'aimable
Voyons voyons
je suis le professeur Cocon
j'ai déjà inventé le ver à soie
vous n'allez pas me faire ça à moi
allons allons rappelez-vous
d'où venez-vous

où étiez-vous autrefois
mais les lièvres ne répondent pas
Alors le professeur installe
un grand nouveau système d'horlogerie
avec un sablier à pédale
des calendriers à coulisses
et puis un très petit arbre généalogique
avec des lapins à musique
Et puis l'infrarouge
et le système bleu
mais rien ne bouge
c'est lamentable
dans la tête des lièvres
Il a beau se donner un mal de chien
le pauvre malheureux
mnémotechnicien
toutes ces petites bêtes
ah vraiment c'est trop bête
n'en font qu'à leur tête
Alors il tourne autour des meubles
la tête dans ses mains
et il pleure
et il pleure
Soudain il sent ses mains mouillées par les pleurs
Tiens et voilà
que je pleure maintenant
Hélas! C'est la grande pitié
des armoires à lièvres de France
Oh! lièvres
vous n'allez tout de même pas laisser pleurer un pro-
    fesseur
allons faites un petit effort
lièvres souvenez-vous
descendez-vous du singe
ou bien du kangourou
Lièvres

ne voyez-vous pas
comme je suis malheureux
voyons faites un tout petit effort
ce n'est tout de même pas une affaire
que de se rappeler
puisque tout le monde le fait
Lièvres
je vous en prie
souvenez-vous du jour
du fameux jour
où la tortue est arrivée avant vous
Mais du tiroir aux lièvres
aucune réponse ne vient
Tristes petits ingrats
et sales petits vauriens
pense le professeur
Et il s'assoit par terre
la tête dans les deux mains
Ah vraiment il y a des soirs comme cela
où on se demande si la terre tourne bien
et pourtant elle tourne
Et Dieu la fait tourner
c'est un fait
Dieu est bon il fait bien ce qu'il fait
c'est ce sale petit monde de lièvres
qui est mauvais
Et voilà ce bon professeur
qui rêve d'une machine à perfectionner le civet
Mais tout de même il se secoue
il lutte contre le découragement
Il se répète dans son petit soi-même
En avant en avant
En avant en avant
et il refait ses calculs
il vérifie la preuve par l'œuf[53]
et toutes les preuves qu'il faut

et ses calculs sont justes
et sans aucun défaut
Soudain il sursaute et l'inquiétude s'installe dans sa
    tête
et la sueur froide
Mais alors
si mes calculs sont justes
c'est sûrement mes lièvres qui sont faux
Il se précipite vers l'armoire
mais la glace est fondue
parce que c'est le printemps
tous comme un seul homme
les lièvres ont fichu le camp
Ne vous désolez pas professeur
les lièvres s'en vont
mais les tiroirs restent
C'est la vie.

ÉVÉNEMENTS

Une hirondelle vole dans le ciel
vole vers son nid
son nid où il y a des petits
elle leur apporte une ombrelle
des vers de vase des pissenlits
un tas de choses pour amuser les enfants
dans la maison où il y a le nid
un jeune malade crève doucement dans son lit
dans son lit
sur le trottoir devant la porte
il y a un type qui est noir et qui débloque
derrière la porte un garçon embrasse une fille
un peu plus loin au bout de la rue
un pédéraste regarde un autre pédéraste
et lui fait un adieu de la main
l'un des deux pleure
l'autre fait semblant
il a une petite valise
il tourne le coin de la rue
et dès qu'il est seul il sourit
l'hirondelle repasse dans le ciel
et le pédéraste la voit
Tiens une hirondelle...
et il continue son chemin

48

dans son lit le jeune malade meurt
l'hirondelle passe devant la fenêtre
regarde à travers le carreau
Tiens un mort...
elle vole un étage plus haut
et voit à travers la vitre
un assassin la tête dans les mains
la victime est rangée dans un coin
repliée sur elle-même
Encore un mort dit l'hirondelle...
l'assassin la tête dans les mains
se demande comment il va sortir de là
il se lève et prend une cigarette
et se rassoit
l'hirondelle le voit
dans son bec elle tient une allumette
elle frappe au carreau avec son bec
l'assassin ouvre la fenêtre
prend l'allumette
Merci hirondelle...
et il allume sa cigarette
Il n'y a pas de quoi dit l'hirondelle
c'est la moindre des choses
et elle s'envole à tire-d'aile...
l'assassin referme la fenêtre
s'assied sur une chaise et fume
la victime se lève et dit
C'est embêtant d'être mort
on est tout froid
Fume ça te réchauffera
l'assassin lui donne la cigarette
et la victime dit Je vous en prie
C'est la moindre des choses dit l'assassin
je vous dois bien ça
il prend son chapeau il le met sur la tête
et il s'en va

il marche dans la rue
soudain il s'arrête
il pense à une femme qu'il a beaucoup aimée
c'est à cause d'elle qu'il a tué
cette femme il ne l'aime plus
mais jamais il n'a osé le lui dire
il ne veut pas lui faire de la peine
de temps en temps il tue quelqu'un pour elle
ça lui fait tellement plaisir
à cette femme
lui il mourrait plutôt que de la faire souffrir
il s'en fout de souffrir l'assassin
mais quand c'est les autres qui souffrent
il devient fou
sonné
cinglé
hors de lui
il fait n'importe quoi n'importe où n'importe quand
et puis après il fout le camp
chacun son métier
y en a qui tuent
d'autres qui sont tués
il faut bien que tout le monde vive
Si t'appelles ça vivre
l'assassin a parlé tout haut
et le type qui l'interpelle
est assis sur le trottoir
c'est un chômeur
il reste là du matin au soir
assis sur le trottoir
il attend que ça change
Tu sais d'où je viens lui dit l'assassin
l'autre secoue la tête
Je viens de tuer quelqu'un
Il faut bien que tout le monde meure
répond le chômeur

50

et soudain à brûle-pourpoint
Avez-vous des nouvelles?
Des nouvelles de quoi?
Des nouvelles du monde
des nouvelles du monde... il paraît qu'il va changer
la vie va devenir très belle
tous les jours on pourra manger
il y aura beaucoup de soleil
tous les hommes seront grandeur naturelle
et personne ne sera humilié
mais voilà l'hirondelle qui revient
l'assassin s'en va
le chômeur reste là
et il se tait
il écoute les bruits
il entend des pas
et il les compte
pour passer le temps machinalement
1 2 3 4 5
etc... etc...
jusqu'à cent... plusieurs fois...
c'est un homme qui fait les cent pas
au rez-de-chaussée
dans une chambre remplie de paperasses
il a une grosse tête de penseur
des lunettes en écaille
une grosse tête de roseau bien pensant
il fait les cent pas et il cherche
il cherche quelque chose qui le fera devenir
    quelqu'un
et quand on frappe à sa porte il dit
Je n'y suis pour personne
il cherche
il cherche quelque chose qui le fera devenir
    quelqu'un
le monde entier pourrait bien frapper à sa porte

le monde entier pourrait bien se rouler sur le paillas-
    son
et gémir
et pleurer
et supplier
demander à boire
à boire ou à manger
qu'il n'ouvrirait pas...
il cherche
il cherche la fameuse machine à peser les balances
lorsqu'il l'aura trouvée
la fameuse machine à peser les balances
il sera l'homme le plus célèbre de son pays
le roi des poids et mesures
des poids et mesures de la France
et en lui-même il pousse de petits cris
vive papa
vive moi
vive la France
soudain il se cogne l'orteil contre le pied du lit
c'est dur le pied d'un lit
plus dur que le pied d'un génie
et voilà le roseau pensant[54] sur le tapis
berçant son pauvre pied endolori
dehors le chômeur hoche la tête
sa pauvre tête bercée par l'insomnie
près de lui un taxi s'arrête
des êtres humains descendent ils sont en deuil
en larmes et sur leur trente et un
l'un d'eux paie le chauffeur
le chauffeur s'en va
avec son taxi
un autre humain l'appelle donne une adresse et
    monte
le taxi repart 25 rue de Châteaudun
le chauffeur a l'adresse dans la mémoire

il la garde juste le temps qu'il faut
mais c'est tout de même un drôle de boulot...
et quand il a la fièvre
quand il est noir quand il est couché le soir
des milliers et des milliers d'adresses
arrivent à toute vitesse et se bagarrent dans sa
    mémoire
il a la tête comme un bottin
comme un plan
alors il prend cette tête entre ses mains
avec le même geste que l'assassin
et il se plaint tout doucement
222 rue de Vaugirard
33 rue de Ménilmontant
Grand Palais
Gare Saint-Lazare
rue des derniers des Mohicans[55]
c'est fou ce que l'homme invente
pour abîmer l'homme
et comme tout ça se passe tranquillement
l'homme croit vivre et pourtant il est déjà presque
    mort
et depuis très longtemps
il va et il vient dans un triste décor
couleur de vie de famille
couleur de jour de l'an
avec le portrait de la grand-mère
du grand-père et de l'oncle Ferdinand
celui qui puait tellement des oreilles
et qui n'avait plus qu'une seule dent
l'homme se balade dans un cimetière
et promène en laisse son ennui
il n'ose rien dire
il n'ose rien faire
il a hâte que ça soit fini
aussi quand arrive la guerre

il est fin prêt pour être crôni
et celui qu'on assassine
une fois sa terreur passée
il fait ouf et dit Je vous remercie
me voilà bien débarrassé
. . . .
ainsi l'assassiné roule sur soi-même
et baignant dans son sang
il est très calme
et ça fait plaisir à voir
ce cadavre bien rangé dans un coin
dans ce coquet petit logement
il y a un silence de mort
On se croirait à l'église dit une mouche en entrant
c'est émouvant
et toutes les mouches réunies font entendre un pieux
    bourdonnement
puis elles s'approchent de la flaque
de la grande flaque de sang
mais la doyenne des mouches leur dit
Halte là mes enfants
remercions le bon dieu des mouches de ce festin
    improvisé
et sans une fausse note toutes les mouches entonnent
    le bénédicité
l'hirondelle passe et fronce les sourcils
elle a horreur de ces simagrées
les mouches sont pieuses
l'hirondelle est athée
elle est vivante
elle est belle
elle vole vite
il y a un bon Dieu pour les mouches
un bon Dieu pour les mites
pour les hirondelles il n'y a pas de bon Dieu
elles n'en ont pas besoin...

l'hirondelle continue son chemin et voit
à travers les brise-bise d'une autre fenêtre
autour du jeune mort toute la famille assise
elle est arrivée en taxi
en larmes en deuil et sur son trente et un
elle veille le mort
elle reste là
si la famille ne restait pas là
le mort s'enfuirait peut-être
ou bien peut-être qu'une autre famille viendrait
et le prendrait
quand on a un mort on y tient
et quand on n'en a pas on en voudrait bien un
Les gens sont tellement mesquins
n'est-ce pas oncle Gratien
À qui le dites-vous
les gens sont jaloux
ils nous prendraient notre mort
notre mort à nous
ils pleureraient à notre place
c'est ça qui serait déplacé
et chacun dans l'armoire à glace
chacun se regarde pleurer...
un chômeur assis sur le trottoir
un taxi sur un boulevard
un mort
un autre mort
un assassin
un arrosoir
une hirondelle qui va et vient
dans le ciel couleur de ciel
un gros nuage éclate enfin
la grêle...
des grêlons gros comme le poing
tout le monde respire
Ouf

il ne faut pas se laisser abattre
il faut se soutenir
manger
les mouches lapent
les petits de l'hirondelle mangent le pissenlit
la famille la mortadelle
l'assassin une botte de radis
le chauffeur de taxi au rendez-vous des chauffeurs
rue de Tolbiac
mange une escalope de cheval
tout le monde mange sauf les morts
tout le monde mange
les pédérastes... les hirondelles...
les girafes... les colonels...
tout le monde mange
sauf le chômeur
le chômeur qui ne mange pas parce qu'il n'a rien à
    manger
il est assis sur le trottoir
il est très fatigué
depuis le temps qu'il attend que ça change
il commence à en avoir assez
soudain il se lève
soudain il s'en va
à la recherche des autres
des autres
des autres qui ne mangent pas parce qu'ils n'ont rien
    à manger
des autres tellement fatigués
des autres assis sur les trottoirs
et qui attendent
qui attendent que ça change et qui en ont assez
et qui s'en vont à la recherche des autres
tous les autres
tous les autres tellement fatigués
fatigués d'attendre

fatigués...
Regardez dit l'hirondelle à ses petits
ils sont des milliers
et les petits passent la tête hors du nid
et regardent les hommes marcher
S'ils restent bien unis ensemble
ils mangeront
dit l'hirondelle
mais s'ils se séparent ils crèveront
Restez ensemble hommes pauvres
restez unis
crient les petits de l'hirondelle
restez ensemble hommes pauvres
restez unis
crient les petits
quelques hommes les entendent
saluent du poing
et sourient.

1937.

L'ACCENT GRAVE

LE PROFESSEUR

Élève Hamlet[56]!

L'ÉLÈVE HAMLET
(sursautant)

... Hein... Quoi... Pardon... Qu'est-ce qui se passe...
Qu'est-ce qu'il y a... Qu'est-ce que c'est?...

LE PROFESSEUR
(mécontent)

Vous ne pouvez pas répondre « présent » comme
tout le monde? Pas possible, vous êtes encore dans
les nuages.

L'ÉLÈVE HAMLET

Être ou ne pas être dans les nuages!

Suffit. Pas tant de manières. Et conjuguez-moi le verbe être, comme tout le monde, c'est tout ce que je vous demande.

L'ÉLÈVE HAMLET

To be...

LE PROFESSEUR

En Français, s'il vous plaît, comme tout le monde.

L'ÉLÈVE HAMLET

Bien, monsieur. (Il conjugue :)
Je suis ou je ne suis pas
Tu es ou tu n'es pas
Il est ou il n'est pas
Nous sommes ou nous ne sommes pas...

LE PROFESSEUR
(excessivement mécontent)

Mais c'est vous qui n'y êtes pas, mon pauvre ami !

L'ÉLÈVE HAMLET

C'est exact, monsieur le professeur,
Je suis « où » je ne suis pas
Et, dans le fond, hein, à la réflexion,
Être « où » ne pas être
C'est peut-être aussi la question.

PATER NOSTER

Notre Père qui êtes aux cieux
Restez-y
Et nous nous resterons sur la terre
Qui est quelquefois si jolie
Avec ses mystères de New York[57]
Et puis ses mystères de Paris[58]
Qui valent bien celui de la Trinité
Avec son petit canal de l'Ourcq
Sa grande muraille de Chine
Sa rivière de Morlaix
Ses bêtises de Cambrai
Avec son océan Pacifique
Et ses deux bassins aux Tuileries
Avec ses bons enfants et ses mauvais sujets
Avec toutes les merveilles du monde
Qui sont là
Simplement sur la terre
Offertes à tout le monde
Éparpillées
Émerveillées elles-mêmes d'être de telles
merveilles
Et qui n'osent se l'avouer
Comme une jolie fille nue qui n'ose se montrer
Avec les épouvantables malheurs du monde

Qui sont légion
Avec leurs légionnaires
Avec leurs tortionnaires
Avec les maîtres de ce monde
Les maîtres avec leurs prêtres leurs traîtres et leurs
reîtres
Avec les saisons
Avec les années
Avec les jolies filles et avec les vieux cons
Avec la paille[59] de la misère pourrissant dans l'acier
des canons.

RUE DE SEINE

Rue de Seine dix heures et demie
le soir
au coin d'une autre rue
un homme titube... un homme jeune
avec un chapeau
un imperméable
une femme le secoue...
elle le secoue
et elle lui parle
et il secoue la tête
son chapeau est tout de travers
et le chapeau de la femme s'apprête à tomber en
    arrière
ils sont très pâles tous les deux
l'homme certainement a envie de partir...
de disparaître... de mourir...
mais la femme a une furieuse envie de vivre
et sa voix
sa voix qui chuchote
on ne peut pas ne pas l'entendre
c'est une plainte...
un ordre...
un cri...
tellement avide cette voix...

et triste
et vivante...
un nouveau-né malade qui grelotte sur une tombe
dans un cimetière l'hiver...
le cri d'un être les doigts pris dans la portière...
une chanson
une phrase
toujours la même
une phrase
répétée...
sans arrêt
sans réponse...
l'homme la regarde ses yeux tournent
il fait des gestes avec les bras
comme un noyé
et la phrase revient
rue de Seine au coin d'une autre rue
la femme continue
sans se lasser...
continue sa question inquiète
plaie impossible à panser
Pierre dis-moi la vérité
Pierre dis-moi la vérité
je veux tout savoir
dis-moi la vérité...
le chapeau de la femme tombe
Pierre je veux tout savoir
dis-moi la vérité...
question stupide et grandiose
Pierre ne sait que répondre
il est perdu
celui qui s'appelle Pierre...
il a un sourire que peut-être il voudrait tendre
et répète
Voyons calme-toi tu es folle
mais il ne croit pas si bien dire

mais il ne voit pas
il ne peut pas voir comment
sa bouche d'homme est tordue par son sourire...
il étouffe
le monde se couche sur lui
et l'étouffe
il est prisonnier
coincé par ses promesses...
on lui demande des comptes...
en face de lui...
une machine à compter
une machine à écrire des lettres d'amour
une machine à souffrir
le saisit...
s'accroche à lui...
Pierre dis-moi la vérité.

LE CANCRE

Il dit non avec la tête
mais il dit oui avec le cœur
il dit oui à ce qu'il aime
il dit non au professeur
il est debout
on le questionne
et tous les problèmes sont posés
soudain le fou rire le prend
et il efface tout
les chiffres et les mots
les dates et les noms
les phrases et les pièges
et malgré les menaces du maître
sous les huées des enfants prodiges
avec des craies de toutes les couleurs
sur le tableau noir du malheur
il dessine le visage du bonheur

FLEURS ET COURONNES

Homme
Tu as regardé la plus triste la plus morne de toutes les
    fleurs de la terre
Et comme aux autres fleurs tu lui as donné un nom
Tu l'as appelée Pensée.
Pensée
C'était comme on dit bien observé
Bien pensé
Et ces sales fleurs qui ne vivent ni se ne se fanent
    jamais
Tu les as appelées immortelles...
C'était bien fait pour elles...
Mais le lilas tu l'as appelé lilas
Lilas c'était tout à fait ça
Lilas... Lilas...
Aux marguerites tu as donné un nom de femme
Ou bien aux femmes tu as donné un nom de fleur
C'est pareil.
L'essentiel c'était que ce soit joli
Que ça fasse plaisir...
Enfin tu as donné les noms simples à toutes les fleurs
    simples
Et la plus grande la plus belle
Celle qui pousse toute droite sur le fumier de la
    misère

Celle qui se dresse à côté des vieux ressorts rouillés
À côté des vieux chiens mouillés
À côté des vieux matelas éventrés
À côté des baraques de planches où vivent les sous-
    alimentés
Cette fleur tellement vivante
Toute jaune toute brillante
Celle que les savants appellent Hélianthe
Toi tu l'as appelée soleil
... Soleil...
Hélas! hélas! hélas et beaucoup de fois hélas.
Qui regarde le soleil hein?
Qui regarde le soleil?
Personne ne regarde plus le soleil
Les hommes sont devenus ce qu'ils sont devenus
Des hommes intelligents...
Une fleur cancéreuse tubéreuse et méticuleuse à leur
    boutonnière
Ils se promènent en regardant par terre
Et ils pensent au ciel
Ils pensent... Ils pensent... ils n'arrêtent pas de pen-
    ser...
Ils ne peuvent plus aimer les véritables fleurs vivantes
Ils aiment les fleurs fanées les fleurs séchées
Les immortelles et les pensées
Et ils marchent dans la boue des souvenirs dans la
    boue des regrets...
Ils se traînent
À grand-peine
Dans les marécages du passé
Et ils traînent... ils traînent leurs chaînes
Et ils traînent les pieds au pas cadencé...
Ils avancent à grand-peine
Enlisés dans leurs champs-élysées
Et ils chantent à tue-tête la chanson mortuaire
Oui ils chantent

À tue-tête
Mais tout ce qui est mort dans leur tête
Pour rien au monde ils ne voudraient l'enlever
Parce que
Dans leur tête
Pousse la fleur sacrée
La sale maigre petite fleur
La fleur malade
La fleur aigre
La fleur toujours fanée
La fleur personnelle...
... La pensée...

LE RETOUR AU PAYS

C'est un Breton qui revient au pays natal
Après avoir fait plusieurs mauvais coups
Il se promène devant les fabriques à Douarnenez
Il ne reconnaît personne
Personne ne le reconnaît
Il est très triste.
Il entre dans une crêperie pour manger des crêpes
Mais il ne peut pas en manger
Il a quelque chose qui les empêche de passer
Il paye
Il sort
Il allume une cigarette
Mais il ne peut pas la fumer.
Il y a quelque chose
Quelque chose dans sa tête
Quelque chose de mauvais
Il est de plus en plus triste
Et soudain il se met à se souvenir :
Quelqu'un lui a dit quand il était petit
« Tu finiras sur l'échafaud »
Et pendant des années
Il n'a jamais osé rien faire
Pas même traverser la rue
Pas même partir sur la mer

Rien absolument rien.
Il se souvient.
Celui qui avait tout prédit c'est l'oncle Grésillard
L'oncle Grésillard qui portait malheur à tout le monde
La vache !
Et le Breton pense à sa sœur
Qui travaille à Vaugirard
À son frère mort à la guerre
Pense à toutes les choses qu'il a vues
Toutes les choses qu'il a faites.
La tristesse se serre contre lui
Il essaie une nouvelle fois
D'allumer une cigarette
Mais il n'a pas envie de fumer
Alors il décide d'aller voir l'oncle Grésillard.
Il y va
Il ouvre la porte
L'oncle ne le reconnaît pas
Mais lui le reconnaît
Et il lui dit :
« Bonjour oncle Grésillard »
Et puis il lui tord le cou.
Et il finit sur l'échafaud à Quimper
Après avoir mangé deux douzaines de crêpes
Et fumé une cigarette.

LE CONCERT N'A PAS ÉTÉ RÉUSSI

Compagnons des mauvais jours
Je vous souhaite une bonne nuit
Et je m'en vais.
La recette a été mauvaise
C'est de ma faute
Tous les torts sont de mon côté
J'aurais dû vous écouter
J'aurais dû jouer du caniche
C'est une musique qui plaît
Mais je n'en ai fait qu'à ma tête
Et puis je me suis énervé.
Quand on joue du chien à poil dur
Il faut ménager son archet
Les gens ne viennent pas au concert
Pour entendre hurler à la mort
Et cette chanson de la Fourrière
Nous a causé le plus grand tort.
Compagnons des mauvais jours
Je vous souhaite une bonne nuit
Dormez
Rêvez
Moi je prends ma casquette
Et puis deux ou trois cigarettes dans le paquet
Et je m'en vais...

Compagnons des mauvais jours
Pensez à moi quelquefois
Plus tard...
Quand vous serez réveillés
Pensez à celui qui joue du phoque et du saumon fumé
Quelque part...
Le soir
Au bord de la mer
Et qui fait ensuite la quête
Pour acheter de quoi manger
Et de quoi boire...
Compagnons des mauvais jours
Je vous souhaite une bonne nuit...
Dormez
Rêvez
Moi je m'en vais.

LE TEMPS DES NOYAUX

Soyez prévenus vieillards
soyez prévenus chefs de famille
le temps où vous donniez vos fils à la patrie
comme on donne du pain aux pigeons
ce temps-là ne reviendra plus
prenez-en votre parti
c'est fini
le temps des cerises[60] ne reviendra plus
et le temps des noyaux non plus
inutile de gémir
allez plutôt dormir
vous tombez de sommeil
votre suaire est fraîchement repassé
le marchand de sable va passer
préparez vos mentonnières
fermez vos paupières
le marchand de gadoue va vous emporter
c'est fini les trois mousquetaires
voici le temps des égoutiers

Lorsque avec un bon sourire dans le métropolitain
poliment vous nous demandiez
deux points ouvrez les guillemets

73

descendez-vous à la prochaine
jeune homme
c'est de la guerre dont vous parliez
mais vous ne nous ferez plus le coup du père Français
non mon capitaine
non monsieur un tel
non papa
non maman
nous ne descendrons pas à la prochaine
ou nous vous descendrons avant
on vous foutra par la portière
c'est plus pratique que le cimetière
c'est plus gai
plus vite fait
c'est moins cher

Quand vous tiriez à la courte paille
c'était toujours le mousse qu'on bouffait
mais le temps des joyeux naufrages est passé
lorsque les amiraux tomberont à la mer
ne comptez pas sur nous pour leur jeter la bouée
à moins qu'elle ne soit en pierre
ou en fer à repasser
il faut en prendre votre parti
le temps des vieux vieillards est fini

Lorsque vous reveniez de la revue[61]
avec vos enfants sur vos épaules
vous étiez saouls sans avoir rien bu
et votre moelle épinière
faisait la folle et la fière
devant la caserne de la Pépinière[62]
vous travailliez de la crinière
quand passaient les beaux cuirassiers

74

et la musique militaire
vous chatouillait de la tête aux pieds
vous chatouillait
et les enfants que vous portiez sur vos épaules
vous les avez laissés glisser dans la boue tricolore
dans la glaise des morts
et vos épaules se sont voûtées
il faut bien que jeunesse se passe
vous l'avez laissée trépasser

Hommes honorables et très estimés
dans votre quartier
vous vous rencontrez
vous vous congratulez
vous vous coagulez
hélas hélas cher Monsieur Babylas
j'avais trois fils et je les ai donnés
à la patrie
hélas hélas cher Monsieur de mes deux
moi je n'en ai donné que deux
on fait ce qu'on peut
ce que c'est que de nous...
avez-vous toujours mal aux genoux
et la larme à l'œil
la fausse morve de deuil
le crêpe au chapeau
les pieds bien au chaud
les couronnes mortuaires
et l'ail dans le gigot
vous souvenez-vous de l'avant-guerre
les cuillères à absinthe les omnibus à chevaux
les épingles à cheveux
les retraites aux flambeaux
ah que c'était beau
c'était le bon temps

Bouclez-la vieillards
cessez de remuer votre langue morte
entre vos dents de faux ivoire
le temps des omnibus à cheveux
le temps des épingles à chevaux
ce temps-là ne reviendra plus
à droite par quatre
rassemblez vos vieux os
le panier à salade
le corbillard des riches est avancé
fils de saint Louis montez au ciel
la séance est terminée
tout ce joli monde se retrouvera là-haut
près du bon dieu des flics
dans la cour du grand dépôt

En arrière grand-père
en arrière père et mère
en arrière grands-pères
en arrière vieux militaires
en arrière les vieux aumôniers
en arrière les vieilles aumônières
la séance est terminée
maintenant pour les enfants
le spectacle va commencer.

1936.

76

CHANSON DES ESCARGOTS
QUI VONT À L'ENTERREMENT

À l'enterrement d'une feuille morte
Deux escargots s'en vont
Ils ont la coquille noire
Du crêpe autour des cornes
Ils s'en vont dans le soir
Un très beau soir d'automne
Hélas quand ils arrivent
C'est déjà le printemps
Les feuilles qui étaient mortes
Sont toutes ressuscitées
Et les deux escargots
Sont très désappointés
Mais voilà le soleil
Le soleil qui leur dit
Prenez prenez la peine
La peine de vous asseoir
Prenez un verre de bière
Si le cœur vous en dit
Prenez si ça vous plaît
L'autocar pour Paris
Il partira ce soir
Vous verrez du pays
Mais ne prenez pas le deuil
C'est moi qui vous le dis

Ça noircit le blanc de l'œil
Et puis ça enlaidit
Les histoires de cercueils
C'est triste et pas joli
Reprenez vos couleurs
Les couleurs de la vie
Alors toutes les bêtes
Les arbres et les plantes
Se mettent à chanter
À chanter à tue-tête
La vraie chanson vivante
La chanson de l'été
Et tout le monde de boire
Tout le monde de trinquer
C'est un très joli soir
Un joli soir d'été
Et les deux escargots
S'en retournent chez eux
Ils s'en vont très émus
Ils s'en vont très heureux
Comme ils ont beaucoup bu
Ils titubent un p'tit peu
Mais là-haut dans le ciel
La lune veille sur eux.

RIVIERA

Assise sur une chaise longue
une dame à la langue fanée
une dame longue
plus longue que sa chaise longue
et très âgée
prend ses aises
on lui a dit sans doute que la mer était là
alors elle la regarde
mais elle ne la voit pas
et les présidents passent et la saluent très bas
c'est la baronne Crin
la reine de la carie dentaire
son mari c'est le baron Crin
le roi du fumier de lapin
et tous à ses grands pieds sont dans leurs petits sou-
    liers
et ils passent devant elle et la saluent très bas
de temps en temps
elle leur jette un vieux cure-dents
ils le sucent avec ravissement
en continuant leur promenade
leurs souliers neufs craquent et leurs vieux os aussi
et des villas arrive une musique blême
une musique aigre

et sure
comme les cris d'un nouveau-né trop longtemps
  négligé
c'est nos fils
c'est nos fils disent les présidents
et ils hochent la tête doucement et fièrement
et leurs petits prodiges
désespérément
se jettent à la figure leurs morceaux de piano
la baronne prête l'oreille
cette musique lui plaît
mais son oreille tombe
comme une vieille tuile d'un toit
elle regarde par terre
et elle ne la voit pas
mais l'aperçoit seulement
et la prend
tout bonnement
pour une feuille morte apportée par le vent
c'est alors que s'arrête
la triste clameur des enfants
que la baronne n'entendait plus d'ailleurs
que d'une oreille distraite
et dépareillée
et que surgissent brusquement
gambadent dans sa pauvre tête
en toute liberté
les vieux refrains puérils méchants et périmés
de sa mémoire inquiète usée et déplumée
et comme elle cherche vainement
pour passer le temps
qui la menace et qui la guette
un bon regret bien triste et bien attendrissant
qui puisse la faire rire aux larmes
ou même pleurer tout simplement

elle ne trouve qu'un souvenir incongru inconvenant
l'image d'une vieille dame assise toute nue
sur la bosse d'un chameau
et qui tricote méchamment une omelette au guano.

LA GRASSE MATINÉE

Il est terrible
le petit bruit de l'œuf dur cassé sur un comptoir
    d'étain
il est terrible ce bruit
quand il remue dans la mémoire de l'homme qui a
    faim
elle est terrible aussi la tête de l'homme
la tête de l'homme qui a faim
quand il se regarde à six heures du matin
dans la glace du grand magasin
une tête couleur de poussière
ce n'est pas sa tête pourtant qu'il regarde
dans la vitrine de chez Potin[63]
il s'en fout de sa tête l'homme
il n'y pense pas
il songe
il imagine une autre tête
une tête de veau par exemple
avec une sauce de vinaigre
ou une tête de n'importe quoi qui se mange
et il remue doucement la mâchoire
doucement
et il grince des dents doucement
car le monde se paye sa tête

et il ne peut rien contre ce monde
et il compte sur ses doigts un deux trois
un deux trois
cela fait trois jours qu'il n'a pas mangé
et il a beau se répéter depuis trois jours
Ça ne peut pas durer
ça dure
trois jours
trois nuits
sans manger
et derrière ces vitres
ces pâtés ces bouteilles ces conserves
poissons morts protégés par les boîtes
boîtes protégées par les vitres
vitres protégées par les flics
flics protégés par la crainte
que de barricades pour six malheureuses sardines...
Un peu plus loin le bistro
café-crème et croissants chauds
l'homme titube
et dans l'intérieur de sa tête
un brouillard de mots
un brouillard de mots
sardines à manger
œuf dur café-crème
café arrosé rhum
café-crème
café-crème
café-crime arrosé sang!...
Un homme très estimé dans son quartier
a été égorgé en plein jour
l'assassin le vagabond lui a volé
deux francs
soit un café arrosé
zéro franc soixante-dix
deux tartines beurrées

et vingt-cinq centimes pour le pourboire du garçon.
Il est terrible
le petit bruit de l'œuf dur cassé sur un comptoir
   d'étain
il est terrible ce bruit
quand il remue dans la mémoire de l'homme qui a
   faim.

DANS MA MAISON

Dans ma maison vous viendrez
D'ailleurs ce n'est pas ma maison
Je ne sais pas à qui elle est
Je suis entré comme ça un jour
Il n'y avait personne
Seulement des piments rouges accrochés au mur blanc
Je suis resté longtemps dans cette maison
Personne n'est venu
Mais tous les jours et tous les jours
Je vous ai attendue

Je ne faisais rien
C'est-à-dire rien de sérieux
Quelquefois le matin
Je poussais des cris d'animaux
Je gueulais comme un âne
De toutes mes forces
Et cela me faisait plaisir
Et puis je jouais avec mes pieds
C'est très intelligent les pieds
Ils vous emmènent très loin
Quand vous voulez aller très loin
Et puis quand vous ne voulez pas sortir

85

Ils restent là ils vous tiennent compagnie
Et quand il y a de la musique ils dansent
On ne peut pas danser sans eux
Faut être bête comme l'homme l'est si souvent
Pour dire des choses aussi bêtes
Que bête comme ses pieds gai comme un pinson
Le pinson n'est pas gai
Il est seulement gai quand il est gai
Et triste quand il est triste ou ni gai ni triste
Est-ce qu'on sait ce que c'est un pinson
D'ailleurs il ne s'appelle pas réellement comme ça
C'est l'homme qui a appelé cet oiseau comme ça
Pinson pinson pinson pinson

Comme c'est curieux les noms
Martin Hugo Victor de son prénom
Bonaparte Napoléon de son prénom
Pourquoi comme ça et pas comme ça
Un troupeau de bonapartes passe dans le désert
L'empereur s'appelle Dromadaire
Il a un cheval caisse et des tiroirs de course
Au loin galope un homme qui n'a que trois prénoms
Il s'appelle Tim-Tam-Tom et n'a pas de grand nom
Un peu plus loin encore il y a n'importe qui
Beaucoup plus loin encore il y a n'importe quoi
Et puis qu'est-ce que ça peut faire tout ça

Dans ma maison tu viendras
Je pense à autre chose mais je ne pense qu'à ça
Et quand tu seras entrée dans ma maison
Tu enlèveras tous tes vêtements
Et tu resteras immobile nue debout avec ta bouche rouge
Comme les piments rouges pendus sur le mur blanc

Et puis tu te coucheras et je me coucherai près de toi
Voilà
Dans ma maison qui n'est pas ma maison tu viendras.

CHASSE À L'ENFANT

À Marianne Oswald[64]

Bandit! Voyou! Voleur! Chenapan!

Au-dessus de l'île on voit des oiseaux
Tout autour de l'île il y a de l'eau

Bandit! Voyou! Voleur! Chenapan!

Qu'est-ce que c'est que ces hurlements

Bandit! Voyou! Voleur! Chenapan!

C'est la meute des honnêtes gens
Qui fait la chasse à l'enfant

Il avait dit J'en ai assez de la maison de redressement
Et les gardiens à coups de clefs lui avaient brisé les
    dents
Et puis ils l'avaient laissé étendu sur le ciment

Bandit! Voyou! Voleur! Chenapan!

Maintenant il s'est sauvé
Et comme une bête traquée
Il galope dans la nuit
Et tous galopent après lui
Les gendarmes les touristes les rentiers les artistes

Bandit! Voyou! Voleur! Chenapan!

C'est la meute des honnêtes gens
Qui fait la chasse à l'enfant
Pour chasser l'enfant pas besoin de permis
Tous les braves gens s'y sont mis
Qu'est-ce qui nage dans la nuit
Quels sont ces éclairs ces bruits
C'est un enfant qui s'enfuit
On tire sur lui à coups de fusil

Bandit! Voyou! Voleur! Chenapan!

Tous ces messieurs sur le rivage
Sont bredouilles et verts de rage

Bandit! Voyou! Voleur! Chenapan!

Rejoindras-tu le continent rejoindras-tu le continent!

Au-dessus de l'île on voit des oiseaux
Tout autour de l'île il y a de l'eau.

FAMILIALE

La mère fait du tricot
Le fils fait la guerre
Elle trouve ça tout naturel la mère
Et le père qu'est-ce qu'il fait le père?
Il fait des affaires
Sa femme fait du tricot
Son fils la guerre
Lui des affaires
Il trouve ça tout naturel le père
Et le fils et le fils
Qu'est-ce qu'il trouve le fils?
Il ne trouve rien absolument rien le fils
Le fils sa mère fait du tricot son père des affaires lui la
    guerre
Quand il aura fini la guerre
Il fera des affaires avec son père
La guerre continue la mère continue elle tricote
Le père continue il fait des affaires
Le fils est tué il ne continue plus
Le père et la mère vont au cimetière
Ils trouvent ça naturel le père et la mère
La vie continue la vie avec le tricot la guerre les
    affaires

Les affaires la guerre le tricot la guerre
Les affaires les affaires et les affaires
La vie avec le cimetière.

LE PAYSAGE CHANGEUR

De deux choses lune
l'autre c'est le soleil
les pauvres les travailleurs ne voient pas ces choses
leur soleil c'est la soif la poussière la sueur le gou-
   dron
et s'ils travaillent en plein soleil le travail leur cache
   le soleil
leur soleil c'est l'insolation
et le clair de lune pour les travailleurs de nuit
c'est la bronchite la pharmacie les emmerdements les
   ennuis
et quand le travailleur s'endort il est bercé par l'insomnie
et quand son réveil le réveille
il trouve chaque jour devant son lit
la sale gueule du travail
qui ricane qui se fout de lui
alors il se lève
alors il se lave
et puis il sort à moitié éveillé à moitié endormi
il marche dans la rue à moitié éveillée à moitié endormie
et il prend l'autobus
le service ouvrier

et l'autobus le chauffeur le receveur
et tous les travailleurs à moitié réveillés à moitié
    endormis
traversent le paysage figé entre le petit jour et la nuit
le paysage de briques de fenêtres à courants d'air de
    corridors
le paysage éclipse
le paysage prison
le paysage sans air sans lumière sans rires ni saisons
le paysage glacé des cités ouvrières glacées en plein
    été comme au cœur de l'hiver
le paysage éteint
le paysage sans rien
le paysage exploité affamé dévoré escamoté
le paysage charbon
le paysage poussière
le paysage cambouis
le paysage mâchefer
le paysage châtré gommé effacé relégué et rejeté
    dans l'ombre
dans la grande ombre
l'ombre du capital
l'ombre du profit
Sur ce paysage parfois un astre luit
un seul
le faux soleil
le soleil blême
le soleil couché
le soleil chien du capital
le vieux soleil de cuivre
le vieux soleil clairon
le vieux soleil ciboire
le vieux soleil fistule
le dégoûtant soleil du roi soleil
le soleil d'Austerlitz[65]
le soleil de Verdun

le soleil fétiche
le soleil tricolore et incolore
l'astre des désastres
l'astre de la vacherie
l'astre de la tuerie
l'astre de la connerie
le soleil mort.

Et le paysage à moitié construit à moitié démoli
à moitié réveillé à moitié endormi
s'effondre dans la guerre le malheur et l'oubli
et puis il recommence une fois la guerre finie
il se rebâtit lui-même dans l'ombre
et le capital sourit
mais un jour le vrai soleil viendra
un vrai soleil dur qui réveillera le paysage trop mou
et les travailleurs sortiront
ils verront alors le soleil
le vrai le dur le rouge soleil de la révolution
et ils se compteront
et ils se comprendront
et ils verront leur nombre
et ils regarderont l'ombre
et ils riront
et ils s'avanceront
une dernière fois le capital voudra les empêcher de
    rire
ils le tueront
et ils l'enterreront dans la terre sous le paysage de
    misère
et le paysage de misère de profits de poussières et de
    charbon
ils le brûleront
ils le raseront
et ils en fabriqueront un autre en chantant

un paysage tout nouveau tout beau
un vrai paysage tout vivant
ils feront beaucoup de choses avec le soleil
et même ils changeront l'hiver en printemps.

AUX CHAMPS[66]...

Il y a
paraît-il
dans une roseraie
une rose
qu'on appelle Veuve inconsolable du regretté Président Doumergue
c'est triste
c'est regrettable
il y a
ou plutôt
il y a eu
un homme qui a écrit ces mots
Demain sur nos tombeaux les blés seront plus beaux
c'est triste
c'est regrettable
parce que le blé ne pousse pas
précisément
sur les tombeaux des hommes qui sont tombés
pour que monte ou descende
le cours du blé
ou même le cours de la pensée du charbon ou des fleurs
et pourtant on peut voir
gravée par de très honorables graveurs

sur l'effroyable billet de banque
sur l'épouvantable billet de faveur[67]
la stupide gravure en couleur
l'affligeante et provocante image de labeur
où malgré lui le travailleur
est soigneusement représenté
tout joyeux le rire sur les lèvres
et l'outil à la main
ou bien
éclatant de santé
dans un ravissant paysage d'été
et fauchant en chantant alertement les blés
mais on ne voit jamais
l'image simple et vraie
le travailleur en sueur et fauché comme les blés
c'est triste
c'est regrettable
mais les gerbes sont liées
le travailleur aussi
avec leurs grands billets les grands favorisés
se sont payé sa tête
et son corps tout entier
avec tout le travail de toutes ses années
toutes les gerbes sont liées
chaque grain est compté
chaque geste capté
chaque fleur arrachée
le blé monte et descend
en même temps que l'argent
en même temps que le sucre
en même temps que l'acier
et le compte du travailleur
est sagement réglé
à l'octroi de Profit
la guerre est déclarée
et sur la terre encore fraîchement remuée

dans les ruines des villes par eux-mêmes bâties
ceux qui étaient les plus vivants et les plus forts
les plus gais
les meilleurs
restent là immobiles couchés aux champs d'honneur
la tête dans la mort et la fleur au fusil
la mémorable fleur de leur si simple vie
et la fleur à son tour
doucement se pourrit
la fleur des amours la fleur des amis
et sur ce champ d'honneur
d'honneurs et de profits
un peu plus tard
sur ce champ d'honneur soigneusement nivelé
toute seule
la fleur artificielle
la rose invraisemblable
la fleur à faire vomir
la fleur à faire hurler
la veuve inconsolable du Président untel
blême et rose chou-fleur atrocement greffé
ignoble végétal stupidement simulé
encore une fois
de force
et avec le concours assuré de la musique militaire
est accrochée épinglée rivée
à la boutonnière de la terre
de la terre abîmée
de la terre solitaire
de la terre saccagée bafouée et désolée
désespérée
endimanchée.

1936.

L'EFFORT HUMAIN

L'effort humain
n'est pas ce beau jeune homme souriant
debout sur sa jambe de plâtre
ou de pierre
et donnant grâce aux puérils artifices du statuaire
l'imbécile illusion
de la joie de la danse et de la jubilation
évoquant avec l'autre jambe en l'air
la douceur du retour à la maison
Non
l'effort humain ne porte pas un petit enfant sur
    l'épaule droite
un autre sur la tête
et un troisième sur l'épaule gauche
avec les outils en bandoulière
et la jeune femme heureuse accrochée à son bras
L'effort humain porte un bandage herniaire
et les cicatrices des combats
livrés par la classe ouvrière
contre un monde absurde et sans lois
L'effort humain n'a pas de vraie maison
il sent l'odeur de son travail
et il est touché aux poumons
son salaire est maigre

ses enfants aussi
il travaille comme un nègre
et le nègre travaille comme lui
L'effort humain n'a pas de savoir-vivre
l'effort humain n'a pas l'âge de raison
l'effort humain a l'âge des casernes
l'âge des bagnes et des prisons
l'âge des églises et des usines
l'âge des canons
et lui qui a planté partout toutes les vignes
et accordé tous les violons
il se nourrit de mauvais rêves
et il se saoule avec le mauvais vin de la résignation
et comme un grand écureuil ivre
sans arrêt il tourne en rond
dans un univers hostile
poussiéreux et bas de plafond
et il forge sans cesse la chaîne
la terrifiante chaîne où tout s'enchaîne
la misère le profit le travail la tuerie
la tristesse le malheur l'insomnie et l'ennui
la terrifiante chaîne d'or
de charbon de fer et d'acier
de mâchefer et de poussier
passée autour du cou
d'un monde désemparé
la misérable chaîne
où viennent s'accrocher
les breloques divines
les reliques sacrées
les croix d'honneur les croix gammées
les ouistitis porte-bonheur
les médailles des vieux serviteurs
les colifichets du malheur
et la grande pièce de musée
le grand portrait équestre

le grand portrait en pied
le grand portrait de face de profil à cloche-pied
le grand portrait doré
le grand portrait du grand divinateur
le grand portrait du grand empereur
le grand portrait du grand penseur
du grand sauteur
du grand moralisateur
du digne et triste farceur
la tête du grand emmerdeur
la tête de l'agressif pacificateur
la tête policière du grand libérateur
la tête d'Adolf Hitler
la tête de monsieur Thiers
la tête du dictateur
la tête du fusilleur
de n'importe quel pays
de n'importe quelle couleur
la tête odieuse
la tête malheureuse
la tête à claques
la tête à massacre
la tête de la peur.

JE SUIS COMME JE SUIS

Je suis comme je suis
Je suis faite comme ça
Quand j'ai envie de rire
Oui je ris aux éclats
J'aime celui qui m'aime
Est-ce ma faute à moi
Si ce n'est pas le même
Que j'aime chaque fois
Je suis comme je suis
Je suis faite comme ça
Que voulez-vous de plus
Que voulez-vous de moi

Je suis faite pour plaire
Et n'y puis rien changer
Mes talons sont trop hauts
Ma taille trop cambrée
Mes seins beaucoup trop durs
Et mes yeux trop cernés
Et puis après
Qu'est-ce que ça peut vous faire
Je suis comme je suis
Je plais à qui je plais
Qu'est-ce que ça peut vous faire

Ce qui m'est arrivé
Oui j'ai aimé quelqu'un
Oui quelqu'un m'a aimée
Comme les enfants qui s'aiment
Simplement savent aimer
Aimer aimer...
Pourquoi me questionner
Je suis là pour vous plaire
Et n'y puis rien changer.

CHANSON DANS LE SANG

Il y a de grandes flaques de sang sur le monde
où s'en va-t-il tout ce sang répandu
est-ce la terre qui le boit et qui se saoule
drôle de soûlographie alors
si sage... si monotone...
Non la terre ne se saoule pas
la terre ne tourne pas de travers
elle pousse régulièrement sa petite voiture ses quatre
    saisons
la pluie... la neige...
la grêle... le beau temps...
jamais elle n'est ivre
c'est à peine si elle se permet de temps en temps
un malheureux petit volcan
Elle tourne la terre
elle tourne avec ses arbres... ses jardins... ses mai-
    sons...
elle tourne avec ses grandes flaques de sang
et toutes les choses vivantes tournent avec elle et
    saignent...
Elle elle s'en fout
la terre
elle tourne et toutes les choses vivantes se mettent à
    hurler

elle s'en fout
elle tourne
elle n'arrête pas de tourner
et le sang n'arrête pas de couler...
Où s'en va-t-il tout ce sang répandu
le sang des meurtres... le sang des guerres...
le sang de la misère...
et le sang des hommes torturés dans les prisons...
le sang des enfants torturés tranquillement par leur
    papa et leur maman...
Et le sang des hommes qui saignent de la tête
dans les cabanons...
et le sang du couvreur
quand le couvreur glisse et tombe du toit
Et le sang qui arrive et qui coule à grands flots
avec le nouveau-né... avec l'enfant nouveau...
la mère qui crie... l'enfant pleure...
le sang coule... la terre tourne
la terre n'arrête pas de tourner
le sang n'arrête pas de couler
Où s'en va-t-il tout ce sang répandu
le sang des matraqués... des humiliés...
des suicidés... des fusillés... des condamnés...
et le sang de ceux qui meurent comme ça... par
    accident
Dans la rue passe un vivant
avec tout son sang dedans
soudain le voilà mort
et tout son sang est dehors
et les autres vivants font disparaître le sang
ils emportent le corps
mais ils est têtu le sang
et là où était le mort
beaucoup plus tard tout noir
un peu de sang s'étale encore...
sang coagulé

rouille de la vie rouille des corps
sang caillé comme le lait
comme le lait quand il tourne
quand il tourne comme la terre
comme la terre qui tourne
avec son lait... avec ses vaches...
avec ses vivants... avec ses morts...
la terre qui tourne avec ses arbres... ses vivants... ses
    maisons...
la terre qui tourne avec les mariages...
les enterrements...
les coquillages...
les régiments...
la terre qui tourne et qui tourne
avec ses grands ruisseaux de sang.

1936.

LA LESSIVE

Oh la terrible et surprenante odeur de viande qui
    meurt
c'est l'été et pourtant les feuilles des arbres du jardin
tombent et crèvent comme si c'était l'automne...
cette odeur vient du pavillon
où demeure monsieur Edmond
chef de famille
chef de bureau
c'est le jour de la lessive
et c'est l'odeur de la famille
et le chef de famille
chef de bureau
dans son pavillon de chef-lieu de canton
va et vient autour du baquet familial
et répète sa formule favorite
Il faut laver son linge sale en famille
et toute la famille glousse d'horreur
de honte
frémit et brosse et frotte et brosse
le chat voudrait bien s'en aller
tout cela lui lève le cœur
le cœur du petit chat de la maison
mais la porte est cadenassée
alors le pauvre petit chat dégueule

le pauvre petit morceau de cœur
que la veille il avait mangé
de vieux portefeuilles flottent dans l'eau du baquet
et puis des scapulaires... des suspensoirs...
des bonnets de nuit... des bonnets de police...
des polices d'assurance... des livres de comptes...
des lettres d'amour où il est question d'argent
des lettres anonymes où il est question d'amour
une rosette de la légion d'honneur
de vieux morceaux de coton à oreille
des rubans
une soutane
un caleçon de vaudeville
une robe de mariée
une feuille de vigne
une blouse d'infirmière
un corset d'officier de hussards
des langes
une culotte de plâtre
une culotte de peau...
soudain de longs sanglots
et le petit chat met ses pattes sur ses oreilles
pour ne pas entendre ce bruit
parce qu'il aime la fille
et que c'est elle qui crie
c'est à elle qu'on en voulait
c'est la jeune fille de la maison
elle est nue... elle crie... elle pleure...
et d'un coup de brosse à chiendent sur la tête
le père la rappelle à la raison
elle a une tache
la jeune fille de la maison
et toute la famille la plonge
et la replonge
elle saigne
elle hurle

mais elle ne veut pas dire le nom...
et le père hurle aussi
Que tout ceci ne sorte pas d'ici
Que tout ceci reste entre nous
dit la mère
et les fils les cousins les moustiques
crient aussi
et le perroquet sur son perchoir
répète aussi
Que tout ceci ne sorte pas d'ici
honneur de la famille
honneur du père
honneur du fils
honneur du perroquet Saint-Esprit
elle est enceinte la jeune fille de la maison
il ne faut pas que le nouveau-né
sorte d'ici
on ne connaît pas le nom du père
au nom du père et du fils
au nom du perroquet déjà nommé Saint-Esprit
Que tout ceci ne sorte pas d'ici...
avec sur le visage une expression surnaturelle
la vieille grand-mère assise sur le rebord du baquet
tresse une couronne d'immortelles artificielles
pour l'enfant naturel...
et la fille est piétinée
la famille pieds nus
piétine piétine et piétine
c'est la vendange de la famille
la vendange de l'honneur
la jeune fille de la maison crève
dans le fond...
à la surface
des globules de savon éclatent
des globules blancs
globules blêmes

couleur d'enfant de Marie...
et sur un morceau de savon
un morpion se sauve avec ses petits
l'horloge sonne une heure et demie
et le chef de famille et de bureau
met son couvre-chef sur son chef
et s'en va
traverse la place de chef-lieu de canton
et rend le salut à son sous-chef
qui le salue...
les pieds du chef de famille sont rouges
mais les chaussures sont bien cirées
Il vaut mieux faire envie que pitié.

LA CROSSE EN L'AIR[68]

(Feuilleton)

Rassurez-vous braves gens
ce n'est pas un appel à la révolte
c'est un évêque qui est saoul et qui met sa crosse en
l'air
comme ça... en titubant...
il est saoul
il a sur la tête cette coiffure qu'on appelle mitre
et tous ses vêtements sont brodés richement
il est saoul
il roule dans le ruisseau
sa mitre tombe
c'est le soir
ça se passe rue de Rome près de la gare Saint-Lazare
sur le trottoir il y a un chien
il est assis sur son cul
il regarde l'évêque
l'évêque regarde le chien
ils se regardent en chiens de faïence
mais voilà l'évêque fermant les yeux
l'évêque secoué par le hoquet
le chien reste immobile
et seul
mais l'évêque voit deux chiens
dégueulis... dégueulis... dégueulis...

voilà l'évêque qui vomit
dans le ruisseau passent des cheveux...
... des vieux peignes...
... des tickets de métro...
des morceaux d'ouate thermogène...
des préservatifs... des bouchons de liège... des
mégots
l'évêque pense tristement
Est-il possible que j'aie mangé tout ça
le chien hausse les épaules
et s'enfuit avec la mitre
l'évêque reste seul devant la pharmacie
ça se passe rue de Rome
rue de Rome il y a une pharmacie
l'évêque crie
le pharmacien sort de sa pharmacie
il voit l'évêque
il fait le signe de la croix
puis
plaçant ensuite deux doigts dans la bouche de
l'évêque
il l'aide...
... il aide l'évêque à vomir...
l'autre l'appelle son fils fait le signe de la croix
puis recommence à vomir
le pharmacien avec les doigts qui ont fait le signe de
la croix
aide encore l'évêque à vomir
puis fait le signe de la croix
et ainsi de suite
alternativement
signe de la croix et vomissement
plus loin
derrière une palissade
dans une maison en construction
ou en démolition

112

enfin dans une maison pour les humains
il y a une grande réception
c'est la grande réception
chez les chiens de cirque
la grande rigolade
il y en a qui ont apporté des os
d'autres des escalopes
beaucoup de choses
ceux qui ont la queue en trompette font l'orchestre
c'est le grand cirque des chiens
celui qui a lieu le premier vendredi de chaque mois
mais seuls les chiens savent ça
devant tous les chiens assis
les autres chiens font leur numéro
le chien d'aveugle
le chien de fusil
le chien de garde
le chien de berger
mais voilà le grand délire
et les spectateurs aboient du vrai grand rire
le chien de la rue de Rome vient d'arriver
il a sur la tête la mitre et il fait le pitre
le pitre
avec tous les gestes saints
le clown chien aboie en latin
il aboie au christ
il aboie au vendredi saint
il dit la messe avec sa queue
et tous les chiens se tordent à qui mieux mieux
Notre père chien qui êtes aux cieux...
mais le veilleur de nuit se réveille
et le monde des chiens s'enfuit
le veilleur de nuit se rendort
le veilleur de nuit est pris par le rêve
rêve de silence
rêve de bruits

rêve...
rue de Rome le ruisseau coule doucement
dans son rêve le veilleur de nuit l'entend
rêve de ruisseau
rêve d'eau
rêve de rue
rêve de Rome
rêve d'homme
rêve du pape... rêve de Rome... rêve du Vatican
rêve de souvenir
rêve d'enfant
Rome l'unique objet de mon ressentiment
le veilleur de nuit se réveille
se réveille en répétant
Parfaitement
parfaitement
Rome l'unique objet de mon ressentiment[69]
il se réveille
il se lève
il se lave les dents
répétant
répétant
Rome l'unique objet de mon ressentiment
et le voilà la lanterne à la main
le voilà qui suit son petit bonhomme de chemin
son petit bonhomme de chemin le mène à Rome
comme tous les autres chemins
parfaitement
parfaitement
à Rome devant le Vatican
parfaitement
pauvre veilleur de nuit le voilà perdu en plein jour
au beau milieu d'une ville peuplée de gens qui ne
parlent pas la même langue que lui
triste voyage

soudain il voit une petite fumée qui monte dans le ciel
au-dessus des maisons
alors il crie au feu
mais un Italien lui explique en italien que toujours
il y a une petite fumée qui monte dans le ciel
quand un nouveau pape est élu
le veilleur de nuit n'y comprend rien
il hoche la tête
et le soir tombe sur la campagne électorale à Rome
le pape est élu
aux quatre coins cardinaux il y a des cardinaux
qui font la gueule en coin
ils ne seront pas pape
tout est foutu
c'est alors qu'au balcon
sérieux comme un pape
paraît le pape
entouré de ses sous-papes
il a sur la tête la coiffure à trois cornes appelée tiare
et il étend la main
la foule se prosterne
la foule cherche sa salive
la foule trouve sa salive
la foule crache par terre
la foule se roule dans son crachat
le pape fait avec sa main de pape un geste de pape
on ferme la fenêtre
et la foule s'en va
s'en va par la ville en répétant
Ça y est
nous l'avons vu
nous l'avons touché du regard
un peu plus tard assis sur ses fesses dans son carrosse
de nougat doré le grand taulier[70] du Vatican fait le
tour de son quartier réservé et puis il rentre au Vati-

can où fier lui aussi comme un pape son vieux papa
l'attend
effusions familiales
grandes eaux lacrymales
le père a une tête de vieux paysan
il fume la pipe
il est simple
hélas hélas
la pipe au papa du pape Pie pue
on ouvre les fenêtres... on brûle du sucre... on ferme
les fenêtres... ce qu'il faut avant tout c'est de la tenue
mais tous les ruisseaux mènent à Rome[71]
et voilà l'évêque qui surgit en agitant sa crosse
son visage est défait comme un vieux lit
il titube... l'indignation est générale... le Saint-Père
écarte son vieux père qui veut faire à l'évêque un
mauvais parti et s'approchant de l'évêque lui dit
On dirait que vous avez bu
et il le lui dit avec une tellement grandiose expression
de mépris
que tous les cardinaux en sont glacés jusqu'aux os
silence
grand silence mais de courte durée
car l'évêque est plus ivre que le pape ne le pensait
et comme il a appris les mauvais mots dans un bordel
de la rue de l'Échaudé il dit ce qu'il lui plaît de dire
Dans tous les cas si je suis saoul c'est pas avec ce que
tu m'as payé... tout pape que tu es... mais il éternue
parce qu'il a froid à la tête depuis que le chien lui a
fauché la mitre
Fermez les fenêtres dit le pape
un sous-pape répond à sa sainteté que les fenêtres
sont déjà fermées
Excusez-moi dit le pape on peut se tromper je ne suis
infaillible que lorsque je parle des choses de la religion
soudain l'évêque

116

Infaillible... tais-toi... tu me fais marrer... face de pet...
les choses de la religion... infaillible... il y a de quoi se
les mordre... vieil os sans viande j'en ai marre des
choses de la religion et puis d'abord pourquoi que tu
es pape et pas moi... hein peux-tu le dire... t'as profité
de mon voyage pour te faire élire... combinard...
cumulard...
tout ce que tu veux c'est te remplir la tirelire...
mais le pape le désigne dramatiquement du doigt
Barnabé je vous mets à l'index...
alors l'affreux vieillard éclate de rire
il est tête nue
il se secoue
il secoue toute l'eau du ruisseau
il éternue
il est trempé comme un vieux tampon-buvard
abandonné sous la pluie dans la cour d'une mairie
triste
trempé comme un vieux morceau de pain
dans un verre d'eau sale
et il hurle
et il tonitrue...
Ah! il est bath le pape
il est gratiné le pape...
et il se vautre
il plaisante salement L'index sacré
sais-tu où on le met l'index dans la rue de l'Échaudé
c'en est trop
l'autre affreux vieillard c'est le pape
il faut appeler les choses par leur nom
un chien c'est un chien
un tournesol c'est un tournesol
une petite fille qui joue au cerceau dans une allée
du Luxembourg
c'est une petite fille qui joue au cerceau dans une
allée du Luxembourg

le Luxembourg c'est un jardin
une fleur c'est une fleur
mais un pape qu'est-ce que c'est
un affreux vieillard
et c'est pour ça que le catholique pratiquant lorsqu'il se rend au cinématographe parlant pour voir documentairement le vrai visage du Vatican... c'est pour ça qu'il fait une drôle de tête le catholique pratiquant...
ce qu'il imaginait ce n'était pas cet ecclésiastique blême... mais un pape... un homme de nuages... une sorte de secrétaire de dieu avec des anges pour lui tenir la queue... mais cette grande photographie plate qui remue la bouche en latin
cette grande tête avec toutes les marques
de la déformation professionnelle
la dignité l'onction l'extrême-onction la cruauté la roublardise la papelardise
et tous ces simulacres
toutes ces mornes et sérieuses pitreries
toutes ces vaticaneries... ces fétiches... ces gris-gris...
ce luxe... ces tapis... ces wagons-salons... ces locomotives d'or... ces cure-dents d'argent... ces chiottes de platine...
toute cette vaisselle de riche...
toutes ces coûteuses ces ruineuses saloperies...
tout cela met le catholique mal à l'aise
sur le fauteuil qu'il a payé seize francs
et il entend des rires
de curieuses réflexions
aux places les moins chères des spectateurs se tapent sur les cuisses Vise un peu le Saint-Père comment qu'il est fringué... avec un anneau dans le nez j'te jure qu'il serait complet... c'est alors que le catholique pratiquant sent monter en lui de terribles questions

Hélas... puisqu'il y a des cache-nez... des cache-tampons... des cache-cols... des cache-noisettes... des cache-pots pourquoi n'y a-t-il pas de cache-pape...
point d'interrogation
et plus d'autres questions
à chaque question qu'il se pose malgré lui le catholique pratiquant a beau essayer de répondre que la question n'est plus là... la question est là... la question continue d'être en question et remet tout en question
devinette chrétienne
Aimez-vous les uns les autres
Couci couça c'est la réponse
il a répondu malgré lui le catholique pratiquant
et il a honte
quelle drôle de maladie la honte
et comme ça rend laid
il pleure... il voudrait aimer tout le monde
(qu'il dit)
il ne peut pas aimer...
il ne peut que respecter ou haïr...
il pleure
mais sur l'écran le pape s'en va
en retroussant ses jupons blancs...
le film du Saint-Père est terminé
voici d'autres actualités
des militaires italiens bombardent un village abyssin
le catholique pratiquant sent ses larmes
se tarir brusquement
sent son cœur battre amoureusement
sent ses poings qui se serrent convulsivement
il aime tellement les militaires... les civières...
les enterrements... les cimetières... les vieilles pierres...
les calvaires... les ossements...
à chaque torpille qui tue les « nègres »

il pousse un petit gloussement blanc
devant les images de la mort la joie de vivre le saisit
il voit là-haut dans le ciel tous les frères en Jésus-
Christ
tous ses frères en Mussolini
les archanges des saints abattoirs
les éventreurs... les aviateurs... les mitrailleurs...
toute la clique de notre seigneur...
il est fou de joie... il est content... il grimpe sur son
fauteuil à seize francs... il acclame l'escadrille des
catholiques trafiquants... il sent monter en lui l'espoir
un jour aussi peut-être il versera le sang
le sang des pauvres... le sang des noirs...
le sang de ceux qui sont vraiment vivants
mais l'enthousiasme c'est épuisant et le pauvre petit
malheureux catholique pratiquant impuissant et trafi-
quant... le pauvre pauvre pauvre petit petit petit tout
petit tout petit très malheureux... très catholique...
très catholique... très pratiquant se rassoit sur son fauteuil à seize francs
le spectacle est permanent...
il en aura pour son argent...
et le spectacle recommence...
voilà les gentils animaux des dessins animés
mais ils ne restent pas là longtemps
parce que voilà que revoilà le vrai visage du Vatican
ça commence par des vues de Rome
on montre les quartiers de la ville
dans une rue il y a deux hommes
personne ne les remarque
l'un de ces deux hommes c'est le veilleur de nuit
l'autre c'est un Italien qui n'a pas de travail
un Romain
un Romain avec des pièces au fond du pantalon
un Romain qui crève la faim
les deux hommes sortent du film

120

personne ne s'aperçoit de leur disparition
et là-bas ils continuent à se promener dans Rome
le Romain fait des gestes avec la main
ces gestes le veilleur de nuit les comprend
il n'a pas besoin d'allumer sa lanterne
ce sont des gestes pareils aux siens
un pour serrer la ceinture
un pour montrer les devantures
un autre geste avec la main à plat au-dessus du pavé
en penchant un peu l'épaule
ça veut dire qu'on a des enfants
avec les doigts on fait le compte
c'est un Romain qui a trois enfants
et pas de travail
et ils parlent aussi un petit peu les deux hommes
et ils se comprennent très bien avec très peu de mots
le Romain et le Parisien
Gangster Mussolini
Mussolini gangster
ils éclatent de rire
ils se sont parfaitement compris
une grande joie les fait rire
Gangster... Mussolini
avanti... avanti...
à voix basse le Romain chante au veilleur de nuit
la chanson interdite
Partant pour l'Éthiopie
avanti... avanti...
les fusils partiront tout seuls
c'est moi qui vous le dis
qu'ils partent donc tout seuls
les fusils
qu'ils s'en aillent
nous resterons à la maison
et quand ils reviendront
nous irons les chercher à la gare avec une fanfare

le veilleur de nuit ne comprend pas
toutes les paroles de la chanson
mais il en comprend le sens
et il recommence à rire
et les deux hommes trouvent d'autres copains
un qui travaille chez Fiat à Turin
Turin... Turin-cassis[72]...
le veilleur de nuit pense à l'apéritif et ça lui donne soif
il s'arrête près d'une fontaine
il entend le bruit de l'eau
il s'assoit
il boit
il entend l'eau
et son rêve le reprend
Rome l'unique objet de mon ressentiment
il dit au revoir aux autres et s'en va
vers le Vatican...
il ne sait pas d'où ça lui vient
mais il a un tas de choses à dire
et tout le temps il pensait à ces choses
quand il était tout seul auprès du brasero l'hiver
la nuit dans son chantier
il a un théâtre dans la tête
et dès qu'il est seul ça recommence à jouer
et c'est des pièces terribles que ça joue
pas des tragédies à guirlandes avec des bonzes
d'autrefois qui débloquent comme à l'église des histoires de fesses qui riment
mais des pièces avec des hommes de viande
avec de pauvres femmes vivantes
avec du pain
avec des chiffres
des chiffres... des orages de chiffres...
toujours des petites sommes
et puis des hommes qui fabriquent...
d'autres qui attendent tristement l'autobus sous la
pluie

122

des vieux souliers
des petites filles qui demandent humblement à crédit
chez le laitier
des hommes... des femmes... des enfants
des hommes... des femmes... des enfants
qui se battent contre la misère
qui pataugent dans leur propre sang
dans le sang et dans la misère
dans la misère et dans le sang
et sur le sang de la misère des autres se gondolent à
Venise avec des suspensoirs d'hermine et des dia-
mants
aux doigts de pied
les cloches sonnent dans les églises
pour que les pauvres viennent prier
mais lui le veilleur de nuit
il veut empêcher les cloches de sonner
il veut parler
il veut crier hurler gueuler
gueuler...
mais ce n'est pas pour lui tout seul qu'il veut gueuler
c'est pour ses camarades du monde entier
pour ses camarades charpentiers en fer qui
fabriquent les maisons de la porte Champerret pour
ses camarades cimentiers... ses camarades égoutiers... camarades surmenés... camarades pêcheurs
de Douarnenez... camarades exploités... camarades
de la T.C.R.P [73]... camarades mal payés... camarades
vidangeurs... camarades humiliés... camarades
chinois des rizières de Chine... camarades affamés...
camarades paysans du Danube... camarades torturés... camarades de Belleville... De Grenelle et
de Mexico... camarades sous-alimentés... camarades
mineurs du Borinage... camarades mineurs
d'Oviedo [74]... camarades décimés... mitraillés... camarades dockers de Hambourg... camarades des fau-

bourgs de Berlin... camarades espionnés... bafoués...
trompés... fatigués... découragés... camarades noirs
des États-Unis... camarades lynchés... camarades
marins des prisons maritimes... camarades emprison-
nés... camarades indochinois de Poulo Condor[75]...
camarades matraqués... camarades... camarades...
c'est pour ses camarades qu'il veut gueuler le veilleur
de nuit pour ses camarades de toutes les couleurs de
tous les pays et tout en marchant il arrive devant la
porte du Vatican
et il s'arrête
devant la porte il y a des hommes la plume sur la tête
la hallebarde à la main
ces hommes lui barrent le chemin
et lui demandent ce qu'il veut
Je viens demander au pape s'il est sourdingue...
comprenez je viens lui demander s'il est dur de la
feuille et s'il sait lire s'il sait compter...
lui demander ce qu'il pense de la situation mondiale
lui demander puisque de son métier il doit être bon
comme le bon pain ce qu'il attend pour ouvrir sa
grande gueule en faveur des opprimés...
et la garde le laisse passer croyant qu'il s'agit d'un
plombier qui vient remettre un joint au robinet de la
baignoire dorée où parfois le Saint-Père vient se
mouiller les fesses et le dessous des pieds
il passe
il traverse les salons
tu parles d'un bobinard
mon vieil Edmond
quel bordel madame Adèle
quel boxon monsieur Léon
il glisse sur le parquet ciré
sa lanterne à la main
il glisse si vite

qu'on dirait un train
et le voilà qui écrase quelqu'un
un affreux
c'est un affreux vêtu de noir
une mèche de pétrole à la place des cheveux
la cravate blanche
les pieds douteux
le veilleur de nuit s'enfuit
Laval se relève et s'époussette
un valet s'empresse
Monsieur le comte
et monsieur le comte Laval demande au valet si la
mule du pape est visible et comment il faut s'y
prendre pour la baiser selon le protocole
on amène une mule d'essai et l'homme d'État et la
bête restent seuls en tête à tête
le veilleur de nuit continuant son exploration arrive
dans la grande antichambre près du grand salon de la
grande réception... c'est fou ce qu'il peut y avoir de
monde
qui rampe sur le paillasson
un tas de gens connus des gens qui sont quelqu'un
des journalistes des hommes de main
des valets de pied des écrivains
des banquiers des académiciens
le veilleur de nuit les écoute
ils parlent... ils parlent du nez..
de la pluie et du beau temps
mais ils parlent surtout argent
il y en a qui sont avec leur femme
monsieur Déchet avec madame Déchet
monsieur Gésier avec madame Chaisière
monsieur Pierre Benoit madame Antinéa[76]
madame Léon Bailby[77] monsieur Antinoüs[78]
monsieur Salmigondis madame Cora Laparcerie[79]
monsieur Deibler et sa veuve[80]

grand-papa Doumergue et ses petits-enfants
et le petit monsieur tout seul
Quenelle de Jouvenel Bertrand[81]
monsieur Claude Führer le grand pétopiomane
et puis des Léon Vautel[82]... des Clément Daudet... des
Brioche la Rochelle des Jab de la Bretelle[83]... des
Maurras et des Vorace de Carbuccia[84] des Gallus[85]
des Henribérot[86] des Gugusses des compères Doriot
des de mes deux Kérilis[87] des Pol Morand des
Chiappe des Henri Lavedan et voilà le lieutenant colonoque de la rondelle[88] aux flambeaux
et les Schneider les de Wendel
tous les vieux débris du Creusot
tous les édentés carnivores
tous les vieux marcheurs de la mort
et ces dames
leurs dames
comme elles sont belles à voir quand on pense à autre
chose et qu'on ferme les yeux
les propos qu'elles tiennent sont tout à fait savoureux
elles parlent du pape
et quand elles parlent elles font avec la bouche le
même bruit désagréable que lorsqu'elles remuent
leur prie-Dieu le jour de la grand-messe des morts à
Saint-Laurent pied de porc...
Et le pape m'a dit ceci et le pape m'a dit cela et papati
et papata...
et ces messieurs s'en mêlent
Comme je le disais au Saint-Père dit Pol Morand à la
douairière
Debout les morts et à la douche nous voulons des
cadavres propres...
oh monsieur Morand
vous êtes le roi des cormorans et toujours tellement
garnement
et la douairière se chatouille le fessier

126

elle voudrait bien se le faire dédicacer
soudain elle arrête de se chatouiller
et tout le monde arrête de faire ce qu'il faisait
tout le monde claque des talons
tout le monde rectifie la position
Mussolini traverse le salon
le voilà l'ennemi du Négus
le voilà l'authentique gugusse
le voilà le nouveau Poléon
il a la drôle de tête de l'homme qui croit que c'est
arrivé mais qui ne sait pas au juste comment ça va se
terminer...
il salue tout ce beau monde à la romaine et tout ce
beau monde à la romaine le salue.
soudain Mussolini aperçoit le veilleur de nuit et
s'approche de lui en fronçant les sourcils
Alors on ne salue plus
Je n'ai jamais salué personne dit le veilleur de nuit
et le Duce est très embêté
cet homme seul... ce sans-gêne... cette lanterne
peut-être que c'est Diogène
on ne sait jamais
et le Duce qui ne tient pas à avoir d'ennuis avec l'anti-
quité entraîne le veilleur de nuit dans un salon plus
discret
les voilà assis sur une banquette
Moi ce que je souhaite dit Mussolini
c'est le bonheur de mon peuple
Tu l'as dit bouffi... répond le veilleur de nuit
et il se met à rire doucement
Mussolini est inquiet... soudain il entend du bruit
son inquiétude grandit
le bruit qui inquiète Mussolini
vient de dessous la banquette
sur laquelle il est assis
Ce n'est rien... dit le veilleur de nuit

c'est le roi d'Italie
il fait les cent pas
il s'ennuie
Ah bon dit Mussolini
Moi je viens pour voir le pape dit le veilleur de nuit
Moi aussi dit Mussolini
Moi aussi dit venant de dessous la banquette
la petite voix du roi d'Italie
j'ai rendez-vous avec lui
Moi je n'ai pas rendez-vous dit le veilleur
je viens comme ça... en touriste
Très intéressant le tourisme... extrêmement intéressant
reprend Mussolini... le tourisme...
mais la grande porte s'ouvre
un camerlingue apparaît
Au premier de ces messieurs
C'est moi dit le roi et il sort
mais Mussolini donne au monarque un discret petit
coup de pied et le monarque rentre sous sa banquette
en hochant tristement la tête
Le premier c'est moi dit Mussolini
en faisant la grosse voix
Je vous demande pardon dit le veilleur de nuit
j'étais là avant vous
avanti avanti
et il passe
la grande porte se referme derrière lui et le voilà en
présence de celui qu'on appelle le vicaire de Jésus-
Christ il est assis sur son saint siège le vicaire et
devant lui deux ou trois douzaines de grosses vieilles
femmes à barbe imberbes sont agenouillées sur le
tapis
le Saint-Père leur parle en latin et il les appelle ses
brebis
Drôle de harem pense le veilleur de nuit...

mais voilà les femmes à barbe qui se lèvent...
... qui se lèvent en poussant des cris...
Pesetas Bandera[89] Pesetas
Pesetas Pesetas Franco
Légère erreur pense le veilleur
il comprend qu'il a confondu hommes d'Église avec
femmes à barbe et qu'il se trouve en présence des
évêques cardinaux archevêques et bedeaux... des
révérends pères gras à lard brûlés vifs par le Frente
Popular dans les souterrains d'Oviedo... et le Saint-
Père écoute avec sérénité la plainte déchirante des
malheureux prélats carbonisés
Ah si tu savais Saint-Père
ce que ces barbares nous ont fait
ils nous ont coupé les jambes
et puis ils nous ont pendus par les pieds
ils nous ont plongé la tête dans l'huile d'olive bouil-
lante
ils nous ont saignés comme des porcs
ah si tu savais Saint-Père
combien horrible fut notre mort
ils nous ont crucifiés sur des planches
avec de sales clous rouillés
mais Dieu qui fait bien ce qu'il fait
Dieu nous a tous ressuscités
et sur son nuage d'acier trempé
sainte Tenaille est arrivée
sainte Tenaille nous a décloués
et nous avons erré dans la montagne
emportant les vases sacrés
il y avait des fruits sauvages
nous les avons apprivoisés... baptisés
et puis nous les avons mangés
et nous avons marché marché
jusqu'à un tout petit village
où dans sa grande automobile

129

saint Christophe[90] nous attendait
ah quelle terrible chaleur et quelle soif il faisait
tout nu dans le spider
saint Sébastien pleurait
ils l'avaient planté de banderilles
il ne pouvait pas les enlever
sainte Tenaille s'était endormie...
pas moyen de la réveiller...
saint Sébastien s'impatientait...
on est allé chez un médecin...
mais la porte était défoncée... toute la maison saccagée
et là Saint-Père horreur nous vîmes
comme nous vous voyons Saint-Père
comme nous vous voyons
nous vîmes le médecin et sa dame
suspendus à la suspension
horreur Saint-Père horreur nous vîmes
sur le carreau de la cuisine
les trente-deux filles du médecin
éventrées par les miliciens
horreur Saint-Père horreur nous vîmes
un homme étrange qui grelottait
on aurait dit un grand poulet
un grand poulet qui sanglotait
c'était l'ange gardien des jeunes filles
plumé vif par les miliciens
horreur Saint-Père horreur nous vîmes
la bienheureuse sainte Albumine dans une bouteille
emprisonnée
et tout en haut du haut de l'église
la bienheureuse sainte Camomille empalée sur le clo-
cher
horreur Saint-Père horreur nous vîmes aussi...
... mais soudain midi sonne
on entend un grand bourdonnement
c'est le ventre des prélats espagnols qui grogne

130

qui grogne parce qu'il n'est pas content

Bon appétit mes agneaux

bon appétit mes brebis

vous me direz la suite au dessert dit le Saint-Père et la délégation des malheureux prélats carbonisés miraculés béatifiés et affamés se précipite vers la grande salle où est préparé le banquet

le pape reste seul ou plutôt se croit seul car il ne voit pas le veilleur de nuit planqué dans l'ombre et qui sourit et comme les gens qui sont seuls qui n'ont rien à faire et qui font n'importe quoi pour passer le temps le pape se ronge doucement les ongles machinalement

et puis avec son pied il aplatit le tapis qui fait des plis

et puis il bâille

et puis croisant la jambe droite sur la jambe gauche il se tapote avec la main le bas du genou pour voir si les réflexes vont bien et puis il réfléchit

et toute réflexion faite il constate que pour ce qui est des réflexes c'est presque tout à fait complètement fini

soudain une voix

une voix venant de très loin

une voix désolante

une voix d'os

une voix morte

la voix d'un vieux ventriloque crevé depuis des milliers d'années

et qui dans le fond de sa tombe continue à ventriloquer

Allô allô Radio-Séville

Allô allô Radio-charnier

c'est le général Quiépo micro de Llano[91] qui postillonne à la radio

Pour un nationaliste tué je tuerai dix marxistes... et s'il ne s'en trouve pas assez je déterrerai les morts pour les fusiller...

et cette atroce voix cariée

131

cette voix pouacre... cette voix nécrologique religieuse soldatesque vermineuse néo-mauresque
cette voix capitaliste
cette voix obscène
cette voix hidéaliste
cette voix parle pour la vermine du monde entier
et la vermine du monde entier l'écoute
et elle lui répond en hurlant
alors le veilleur de nuit entend le vrai cantique du
Vatican
la lugubre complainte des prêtres
le cliquetis des baïonnettes
la sonnette du saint sacrement
et le bruit des boîtes à pansements
l'affreuse clameur des possédants
en chœur
avec le chœur des bourreaux qui demandent justice
en chœur
avec le chœur des repus qui hurlent qu'ils ont faim
en chœur
avec les égorgeurs qui crient à l'assassin
en chœur
avec les litanies des hommes aux globules noirs
en chœur
avec les vieux cantiques des vieux bourreurs de mou
en chœur
avec les abominables choristes chantant l'abominable
opéra sinistre
Sacré-Cœur de Jésus ayez pitié de nous
mais comme il connaît la chanson
le pape en a marre et tourne le bouton
silence
silence troublé par une discrète petite toux
c'est le veilleur qui fait hum... hum...
histoire de montrer qu'il est là
et le Saint-Père un peu étonné fait celui qui ne le voit

pas il met sa tête entre ses mains... il se recueille et
tout en marmonnant un petit notre-père-qui-êtes-aux-
cieux à travers ses doigts entrouverts il regarde à
quel genre d'homme il a affaire et comme l'homme
est plutôt mal fringué le Saint-Père est un peu inquiet
et il se dit Quel est cet homme que me veut-il comment est-il entré ici c'est peut-être un dévoyé un anar-
chiste un terrcriste un illuminé un trotskyste
dans les méninges papales l'étonnement la crainte et
la curiosité se baladent en liberté
et le Saint-Père continue sa prière
Que votre volonté soit faite... c'est peut-être cette
vache d'évêque qui l'a envoyé pour me sectionner le
gésier s'il fait un pas de plus je tire sur la sonnette
pour appeler les carabiniers... sur la terre comme au
ciel... il n'a pourtant pas l'air mauvais... c'est peut-être
un gros industriel du textile qui vient pour que je
casse le mariage de sa fille[92] et s'est déguisé en
loqueteux pour que je lui fasse un prix... donnez-nous
aujourd'hui notre pain quotidien... si tu crois m'avoir
c'est moi qui t'aurai mon vieux... pater noster qui êtes
aux cieux... peut-être que c'est un de mes fils natu-
rels... il va m'appeler papa me demander des ronds...
me voilà dans de beaux draps... quel dommage qu'on
ne soit plus au temps des Borgia au temps des
oubliettes et des petits flacons[93]... ne nous laissez pas
succomber à la tentation... je vais tout de même lui
poser quelques questions... Sed libera nos a malo[94]
amen...
Quel bon vent vous amène mon ami
Je n'aime pas la prière
dit le veilleur de nuit
ça fait un sale petit bruit
un sale petit bruit de poussière
on dirait qu'on bat les tapis
tout de même je vous en prie Saint-Père comme on dit

je vous en prie ne m'appelez pas votre ami
gardez vos distances
je ne suis pas venu vous baiser l'anneau
gardez votre truc sur la tête
moi je garderai ma casquette
vous me demandez quel bon vent m'amène
je suis venu à pied le vent était mauvais
mais tout de même entre parenthèses quel drôle de
chapeau vous portez
j'ai répondu à votre question
répondez à la mienne
où est le panier
Le panier répond le Saint-Père qui ne sait que faire
que dire que penser
quel panier
Quand un pâtissier dit le veilleur
quand un pâtissier va livrer en ville une pièce montée... un grand gâteau de noces ou d'anniversaire... il
met la pièce montée dans un panier... il met le panier
sur sa tête... il s'en va là où il doit aller... il s'en revient
la course faite le panier à la main et ceux qui le voient
passer disent
Voilà un pâtissier parce qu'un pâtissier c'est
quelqu'un... quelqu'un qui ressemble à quelque
chose...
tandis que toi
tu ne ressembles à rien
comme un vieux gâte-sauce absurde et morne
comme un vieux faux pâtissier funèbre qui aurait
revêtu on ne sait pas trop pourquoi la robe de la
mariée tu portes sérieusement gravement posée sur
la tête la pièce montée et tu n'oses pas la bouger cette
tête de crainte de voir la crème dégouliner et tu
restes là assis sans bouger de crainte de voir la robe
se déchirer de crainte de laisser voir aux autres

le personnage tel qu'il est
le grand pâtissier sans panier
le grand homme sans spécialité possédant toutes les
qualités
le grand homme pauvre comme Job riche comme
Crésus utile comme la paille dans l'acier
le grand homme irréprochable incorruptible invulné-
rable infaillible imperméable insubmersible et véné-
rable et vénéré et admirable et admiré et considérable et considéré et respectable et respecté
respecté
voilà le grand mot lâché
le respect
et le veilleur de nuit s'esclaffe
le respect
il s'esclaffe comme une girafe
il se tord comme une baleine
et son rire c'est comme le rire nègre des nègres
comme le fou rire des fous comme le rire enfantin des
enfants
des enfants
c'est le rire brut
le rire qui secoue
le vrai fou rire vraiment comme le vrai fou rire du
printemps
vous savez quand le printemps arrive à toute vitesse
en chantant à tue-tête
le printemps fou
le printemps un peu saoul
et tellement content
le printemps
il a sur l'oreille la grande fleur qu'on appelle soleil
une fille toute neuve toute joyeuse toute nue
dans les bras
il marche sur la nouvelle herbe
et la nouvelle herbe frémit sous la caresse de ses pas

la fille est jolie comme un rêve
tellement jolie
que le printemps lui-même n'en revient pas
elle tient dans sa main un oiseau nouveau
c'est l'oiseau de la jeunesse
l'oiseau qui rit aux éclats
... et voilà le pape qui pousse un long cri de détresse
et qui pique une tête et qui roule à terre et qui pique
une crise et qui se relève en hurlant
il a reçu un éclat de rire dans l'œil
et continuant son hurlement il tourne autour de son
fauteuil en courant
poursuivi par l'oiseau moqueur
l'oiseau qui rit comme un enfant
Allez laisse
dit le veilleur à l'oiseau
laisse c'est un vieux
sauve-toi... va-t'en...
l'oiseau s'envole par la fenêtre
l'oiseau s'envole vers les pays chauds
et le pape reprend son souffle et ses saints esprits
Sauf le respect que je ne vous dois pas Saint-Père
comme on dit vous ressemblez à un vieux voyageur
de première
Et pourquoi donc... demande le Saint-Père intrigué et
confus tout en s'assurant d'un petit regard inquiet et
circulaire que l'oiseau est bien parti
Quand un vieux voyageur dit le veilleur
quand un vieux voyageur de première passant pour
prendre l'air sa vieille tête par la portière reçoit dans
l'œil une escarbille...
mais le pape l'interrompt
Ah foutez-moi la paix à la fin
je ne suis tout de même pas arrivé à mon âge et à ma
haute situation pour me laisser emmerder par un malheureux petit libre penseur de rien du tout

136

venu je ne sais d'où
Je ne suis pas libre penseur dit le veilleur
je suis athée
Hein quoi dit le Saint-Père
et l'autre dans le tuyau de son oreille
l'autre se met à gueuler
Allô allô Saint-Père vous m'entendez
athée
A comme absolument athée
T comme totalement athée
H comme hermétiquement athée
É accent aigu comme étonnamment athée
E comme entièrement athée
pas libre penseur
athée
il y a une nuance
mais toi les nuances tu t'en balances
et puis dans le fond ce que je t'en dis...
j'étais venu pour te voir
je t'ai vu ça me suffit...
et le veilleur fait le geste de s'en aller mais le succes-
seur de saint lance-Pierre de saint lance-Paul et de
saint lance-flammes lui met doucement la main sur
l'épaule et le regarde avec une compatissante tristesse simulée d'une façon si parfaite que le saint simu-
lateur professionnel pris lui-même par le ronron de sa
simulation verse les authentiques larmes de la bonté
de l'humilité de la résignation et de la désolation
et il gémit
Poussière tout n'est que poussière et tout retournera
en poussière
Tais-toi dit le veilleur
tu parles comme un aspirateur
alors le secrétaire général de la chrétienté s'arrête de
philosopher
et fusillant le veilleur du regard

en secouant sa noble tête de vieillard sur son goitre
somptueux
il entonne d'une voix grave les Commandements de
Dieu
Garde à vous
repos éternel
garde à vous
garde à vous
l'arme à la bretelle
en avant marche et paix sur la terre aux hommes de
bonne volonté
section halte
couchez-vous... aplatissez-vous... humiliez-vous...
enfouissez-vous...
rampez
garde à vous garde à vous
contre tous ceux qui osent lever la tête
feu à volonté
mais soudain le Saint-Père cesse de gesticuler
et voit en face de lui
le veilleur déguisé en Saint-Père
et ce sans aucun doute pour se foutre de lui
le veilleur déguisé en Saint-Père avec comme lui une
tiare sur la tête et qui comme lui fait de grands gestes
en poussant de grands cris
blême de rage
rouge de honte
vert-de-gris
le pape se jette sur son ennemi
avanti avanti
et le voilà le nez ensanglanté...
sur la glace où le Saint-Père s'est cogné contre son
auguste reflet de Saint-Père
il y a une petite tache de sang
une petite tache de sang inodore incolore sans saveur
un simulacre de tache de sang

pour ce qui est du veilleur
il est parti depuis longtemps
eh oui
ça fait déjà un bon quart d'heure...
un bon quart d'heure qu'il est parti
laissant le pape avec ses grandes manœuvres
ses grandes orgues ses petits ennuis
le pape seul dans la grande salle de son Vatican
seul
comme au milieu d'une assiette sale
un vieux cure-dents
dans la rue la nuit est tombée
et le veilleur marche dans la rue
dans la nuit
il tombe une toute petite pluie
sa lanterne est allumée
quelqu'un court derrière lui
il se retourne et voit dans la lumière
un chat de gouttière
et le veilleur de nuit s'arrête
le chat aussi
Tu devrais venir par là dit le chat
il y a un oiseau blessé
des fois que tu serais vétérinaire
on ne sait jamais
il doit venir de très loin cet oiseau
ses ailes étaient couvertes de poussière
il volait
il saignait
et puis il est tombé très vite comme ça d'un seul coup
comme une pierre
j'ai sauté dessus pour le manger
mais il s'est mis à chanter
et sa chanson était si belle
que je me suis privé de dîner
Je crois que je le connais dit le veilleur

et le voilà parti avec le chat de gouttière
sous la pluie
ils arrivent sur une petite place
C'est là dit le chat
C'est ici dit le veilleur
je m'en doutais
il se baisse et ramasse l'oiseau
Je crois qu'il en a pris un bon coup dit le chat
son aile gauche est arrachée
il n'en a pas pour longtemps
Ta gueule dit le veilleur
le chat comprend qu'il faut se taire
il se tait
et dans la main du veilleur l'oiseau de la jeunesse
commence à délirer
Ah ça m'embêterait de mourir
j'ai vu des choses si belles... si terribles... si
vivantes...
et puis des choses si drôles
si étonnantes
ah ça m'embêterait de mourir
j'ai un tas de choses à dire
et puis j'ai envie de rire... j'ai envie de chanter...
Tais-toi dit le veilleur tais-toi si tu veux guérir
Mais puisque je te dis que j'ai vu des choses...
et l'oiseau se retourne dans la main du veilleur
comme un malade dans son lit
le chat inquiet fronce les sourcils
l'oiseau raconte
Je volais très vite si vite
et je voyais je voyais
... au-dessus des Baléares j'ai vu l'été qui s'en allait et
sur le bord de la mer
la Catalogne qui bougeait et partout des vivants... des
garçons et des filles qui se préparaient à mourir et qui
riaient...

140

j'ai vu
la première neige sur Madrid
la première neige sur un décor de suie de cendres et
de sang
et j'ai revu celle qui était si belle
la jolie fille du printemps
elle était debout au milieu de l'hiver
elle tenait à la main une cartouche de dynamite
ses espadrilles prenaient l'eau
le soleil qu'elle portait sur l'oreille
était d'un rouge éclatant
c'était la fleur de la guerre civile
la fleur vivante comme un sourire
la fleur rouge de la liberté
doucement j'ai volé autour d'elle
sous son sein gauche son cœur battait
et tout le monde l'entendait battre
le cœur de la révolution
ce cœur que rien ne peut empêcher de battre
que rien... personne ne peut empêcher d'abattre ceux
qui veulent l'empêcher de battre... de se battre...
Ne t'excite pas comme ça dit le veilleur
tu as la fièvre
tu saignes
ton aile est arrachée
essaie de dormir... laisse-moi faire...
je te guérirai
et le veilleur s'en va la casquette sur la tête
l'oiseau blessé dans le creux de la main
le chat de gouttière tient la lanterne
et il leur montre le chemin.

1936.

CET AMOUR

Cet amour
Si violent
Si fragile
Si tendre
Si désespéré
Cet amour
Beau comme le jour
Et mauvais comme le temps
Quand le temps est mauvais
Cet amour si vrai
Cet amour si beau
Si heureux
Si joyeux
Et si dérisoire
Tremblant de peur comme un enfant dans le noir
Et si sûr de lui
Comme un homme tranquille au milieu de la nuit
Cet amour qui faisait peur aux autres
Qui les faisait parler
Qui les faisait blêmir
Cet amour guetté
Parce que nous le guettions
Traqué blessé piétiné achevé nié oublié
Parce que nous l'avons traqué blessé piétiné achevé
    nié oublié

Cet amour tout entier
Si vivant encore
Et tout ensoleillé
C'est le tien
C'est le mien
Celui qui a été
Cette chose toujours nouvelle
Et qui n'a pas changé
Aussi vraie qu'une plante
Aussi tremblante qu'un oiseau
Aussi chaude aussi vivante que l'été
Nous pouvons tous les deux
Aller et revenir
Nous pouvons oublier
Et puis nous rendormir
Nous réveiller souffrir vieillir
Nous endormir encore
Rêver à la mort
Nous éveiller sourire et rire
Et rajeunir
Notre amour reste là
Têtu comme une bourrique
Vivant comme le désir
Cruel comme la mémoire
Bête comme les regrets
Tendre comme le souvenir
Froid comme le marbre
Beau comme le jour
Fragile comme un enfant
Il nous regarde en souriant
Et il nous parle sans rien dire
Et moi je l'écoute en tremblant
Et je crie
Je crie pour toi
Je crie pour moi
Je te supplie

Pour toi pour moi et pour tous ceux qui s'aiment
Et qui se sont aimés
Oui je lui crie
Pour toi pour moi et pour tous les autres
Que je ne connais pas
Reste là
Là où tu es
Là où tu étais autrefois
Reste là
Ne bouge pas
Ne t'en va pas
Nous qui sommes aimés
Nous t'avons oublié
Toi ne nous oublie pas
Nous n'avions que toi sur la terre
Ne nous laisse pas devenir froids
Beaucoup plus loin toujours
Et n'importe où
Donne-nous signe de vie
Beaucoup plus tard au coin d'un bois
Dans la forêt de la mémoire
Surgis soudain
Tends-nous la main
Et sauve-nous.

L'ORGUE DE BARBARIE

Moi je joue du piano
disait l'un
moi je joue du violon
disait l'autre
moi de la harpe moi du banjo
moi du violoncelle
moi du biniou... moi de la flûte
et moi de la crécelle.
Et les uns et les autres parlaient parlaient
parlaient de ce qu'ils jouaient.
On n'entendait pas la musique
tout le monde parlait
parlait parlait
personne ne jouait
mais dans un coin un homme se taisait :
« Et de quel instrument jouez-vous Monsieur
qui vous taisez et qui ne dites rien ? »
lui demandèrent les musiciens.
« Moi je joue de l'orgue de Barbarie
et je joue du couteau aussi »
dit l'homme qui jusqu'ici
n'avait absolument rien dit
et puis il s'avança le couteau à la main
et il tua tous les musiciens

et il joua de l'orgue de Barbarie
et sa musique était si vraie
et si vivante et si jolie
que la petite fille du maître de la maison
sortit de dessous le piano
où elle était couchée endormie par ennui
et elle dit :
« Moi je jouais au cerceau
à la balle au chasseur
je jouais à la marelle
je jouais avec un seau
je jouais avec une pelle
je jouais au papa et à la maman
je jouais à chat perché
je jouais avec mes poupées
je jouais avec une ombrelle
je jouais avec mon petit frère
avec ma petite sœur
je jouais au gendarme
et au voleur
mais c'est fini fini fini
je veux jouer à l'assassin
je veux jouer de l'orgue de Barbarie. »
Et l'homme prit la petite fille par la main
et ils s'en allèrent dans les villes
dans les maisons dans les jardins
et puis ils tuèrent le plus de monde possible
après quoi ils se marièrent
et ils eurent beaucoup d'enfants.
Mais
l'aîné apprit le piano
le second le violon
le troisième la harpe
le quatrième la crécelle
le cinquième le violoncelle

et puis ils se mirent à parler parler
parler parler parler
on n'entendit plus la musique
et tout fut à recommencer !

ne peut-être ne mettre à partie partoi
petit enfant, oui-toi
de à commence pour à aveugle
et tout pas à accompagnement

PAGE D'ÉCRITURE

Deux et deux quatre
quatre et quatre huit
huit et huit font seize...
Répétez! dit le maître
Deux et deux quatre
quatre et quatre huit
huit et huit font seize.
Mais voilà l'oiseau-lyre[95]
qui passe dans le ciel
l'enfant le voit
l'enfant l'entend
l'enfant l'appelle :
Sauve-moi
joue avec moi
oiseau!
Alors l'oiseau descend
et joue avec l'enfant
Deux et deux quatre...
Répétez! dit le maître
et l'enfant joue
l'oiseau joue avec lui...
Quatre et quatre huit
huit et huit font seize
et seize et seize qu'est-ce qu'ils font?

Ils ne font rien seize et seize
et surtout pas trente-deux
de toute façon
et ils s'en vont.
Et l'enfant a caché l'oiseau
dans son pupitre
et tous les enfants
entendent sa chanson
et tous les enfants
entendent la musique
et huit et huit à leur tour s'en vont
et quatre et quatre et deux et deux
à leur tour fichent le camp
et un et un ne font ni une ni deux
un à un s'en vont également.
Et l'oiseau-lyre joue
et l'enfant chante
et le professeur crie :
Quand vous aurez fini de faire le pitre !
Mais tous les autres enfants
écoutent la musique
et les murs de la classe
s'écroulent tranquillement.
Et les vitres redeviennent sable
l'encre redevient eau
les pupitres redeviennent arbres
la craie redevient falaise
le porte-plume redevient oiseau.

DÉJEUNER DU MATIN

Il a mis le café
Dans la tasse
Il a mis le lait
Dans la tasse de café
Il a mis le sucre
Dans le café au lait
Avec la petite cuiller
Il a tourné
Il a bu le café au lait
Et il a reposé la tasse
Sans me parler
Il a allumé
Une cigarette
Il a fait des ronds
Avec la fumée
Il a mis les cendres
Dans le cendrier
Sans me parler
Sans me regarder
Il s'est levé
Il a mis
Son chapeau sur sa tête
Il a mis
Son manteau de pluie

Parce qu'il pleuvait
Et il est parti
Sous la pluie
Sans une parole
Sans me regarder
Et moi j'ai pris
Ma tête dans ma main
Et j'ai pleuré.

FILLE D'ACIER

Fille d'acier je n'aimais personne dans le monde
Je n'aimais personne sauf celui que j'aimais
Mon amant mon amant celui qui m'attirait
Maintenant tout a changé est-ce lui qui a cessé de
m'aimer
Mon amant qui a cessé de m'attirer est-ce moi?
Je ne sais pas et puis qu'est-ce ça peut faire tout ça?
Maintenant je suis couchée sur la paille humide de
l'amour
Toute seule avec tous les autres toute seule désespérée
Fille de fer-blanc fille rouillée
Ô mon amant mon amant mort ou vivant
Je veux que tu te rappelles autrefois
Mon amant celui qui m'aimait et que j'aimais.

LES OISEAUX DU SOUCI

Pluie de plumes plumes de pluie
Celle qui vous aimait n'est plus
Que me voulez-vous oiseaux
Plumes de pluie pluie de plumes
Depuis que tu n'es plus je ne sais plus
Je ne sais plus où j'en suis
Pluie de plumes plumes de pluie
Je ne sais plus que faire
Suaire de pluie pluie de suie
Est-ce possible que jamais plus
Plumes de suie... Allez ouste dehors hirondelles
Quittez vos nids... Hein? Quoi? Ce n'est pas la saison
des voyages?...
Je m'en moque sortez de cette chambre hirondelles du
matin
Hirondelles du soir partez... Où? Hein? Alors restez
c'est moi qui m'en irai...
Plumes de suie suie de plumes je m'en irai nulle part
et puis un peu partout
Restez ici oiseaux du désespoir
Restez ici... Faites comme chez vous.

LE DÉSESPOIR EST ASSIS
SUR UN BANC

Dans un square sur un banc
Il y a un homme qui vous appelle quand on passe
Il a des binocles un vieux costume gris
Il fume un petit ninas il est assis
Et il vous appelle quand on passe
Ou simplement il vous fait signe
Il ne faut pas le regarder
Il ne faut pas l'écouter
Il faut passer
Faire comme si on ne le voyait pas
Comme si on ne l'entendait pas
Il faut passer presser le pas
Si vous le regardez
Si vous l'écoutez
Il vous fait signe et rien personne
Ne peut vous empêcher d'aller vous asseoir près de
    lui
Alors il vous regarde et sourit
Et vous souffrez atrocement
Et l'homme continue de sourire
Et vous souriez du même sourire
Exactement
Plus vous souriez plus vous souffrez
Atrocement

Plus vous souffrez plus vous souriez
Irrémédiablement
Et vous restez là
Assis figé
Souriant sur le banc
Des enfants jouent tout près de vous
Des passants passent
Tranquillement
Des oiseaux s'envolent
Quittant un arbre
Pour un autre
Et vous restez là
Sur le banc
Et vous savez vous savez
Que jamais plus vous ne jouerez
Comme ces enfants
Vous savez que jamais plus vous ne passerez
Tranquillement
Comme ces passants
Que jamais plus vous ne vous envolerez
Quittant un arbre pour un autre
Comme ces oiseaux.

CHANSON DE L'OISELEUR

L'oiseau qui vole si doucement
L'oiseau rouge et tiède comme le sang
L'oiseau si tendre l'oiseau moqueur
L'oiseau qui soudain prend peur
L'oiseau qui soudain se cogne
L'oiseau qui voudrait s'enfuir
L'oiseau seul et affolé
L'oiseau qui voudrait vivre
L'oiseau qui voudrait chanter
L'oiseau qui voudrait crier
L'oiseau rouge et tiède comme le sang
L'oiseau qui vole si doucement
C'est ton cœur jolie enfant
Ton cœur qui bat de l'aile si tristement
Contre ton sein si dur si blanc.

POUR FAIRE LE PORTRAIT
D'UN OISEAU

À Elsa Henriquez[96]

Peindre d'abord une cage
avec une porte ouverte
peindre ensuite
quelque chose de joli
quelque chose de simple
quelque chose de beau
quelque chose d'utile
pour l'oiseau
placer ensuite la toile contre un arbre
dans un jardin
dans un bois
ou dans une forêt
se cacher derrière l'arbre
sans rien dire
sans bouger...
Parfois l'oiseau arrive vite
mais il peut aussi bien mettre de longues années
avant de se décider
Ne pas se décourager
attendre
attendre s'il le faut pendant des années

la vitesse ou la lenteur de l'arrivée de l'oiseau
n'ayant aucun rapport
avec la réussite du tableau
Quand l'oiseau arrive
s'il arrive
observer le plus profond silence
attendre que l'oiseau entre dans la cage
et quand il est entré
fermer doucement la porte avec le pinceau
puis
effacer un à un tous les barreaux
en ayant soin de ne toucher aucune des plumes de
l'oiseau
Faire ensuite le portrait de l'arbre
en choisissant la plus belle de ses branches
pour l'oiseau
peindre aussi le vert feuillage et la fraîcheur du vent
la poussière du soleil
et le bruit des bêtes de l'herbe dans la chaleur de
l'été
et puis attendre que l'oiseau se décide à chanter
Si l'oiseau ne chante pas
c'est mauvais signe
signe que le tableau est mauvais
mais s'il chante c'est bon signe
signe que vous pouvez signer
Alors vous arrachez tout doucement
une des plumes de l'oiseau
et vous écrivez votre nom dans un coin du tableau.

SABLES MOUVANTS

Démons et merveilles
Vents et marées
Au loin déjà la mer s'est retirée
Et toi
Comme une algue doucement caressée par le vent
Dans les sables du lit tu remues en rêvant
Démons et merveilles
Vents et marées
Au loin déjà la mer s'est retirée
Mais dans tes yeux entrouverts
Deux petites vagues sont restées
Démons et merveilles
Vents et marées
Deux petites vagues pour me noyer.

PRESQUE

À Fontainebleau
Devant l'hôtel de l'Aigle Noir
Il y a un taureau sculpté par Rosa Bonheur[97]
Un peu plus loin tout autour
Il y a la forêt
Et un peu plus loin encore
Joli corps
Il y a encore la forêt
Et le malheur
Et tout à côté le bonheur
Le bonheur avec les yeux cernés
Le bonheur avec des aiguilles de pin dans le dos
Le bonheur qui ne pense à rien
Le bonheur comme le taureau
Sculpté par Rosa Bonheur
Et puis le malheur
Le malheur avec une montre en or
Avec un train à prendre
Le malheur qui pense à tout...
À tout
À tout... à tout... à tout...
Et à Tout
Et qui gagne « presque » à tous les coups
Presque.

LE DROIT CHEMIN

À chaque kilomètre
chaque année
des vieillards au front borné
indiquent aux enfants la route
d'un geste de ciment armé.

LE GRAND HOMME

Chez un tailleur de pierre
où je l'ai rencontré
il faisait prendre ses mesures
pour la postérité.

LA BROUETTE
OU LES GRANDES INVENTIONS

Le paon fait la roue
le hasard fait le reste
Dieu s'assoit dedans
et l'homme le pousse.

LA CÈNE[98]

Ils sont à table
Ils ne mangent pas
Ils ne sont pas dans leur assiette
Et leur assiette se tient toute droite
Verticalement derrière leur tête.

LES BELLES FAMILLES

Louis I
Louis II
Louis III
Louis IV
Louis V
Louis VI
Louis VII
Louis VIII
Louis IX
Louis X (dit le Hutin)
Louis XI
Louis XII
Louis XIII
Louis XIV
Louis XV
Louis XVI
Louis XVIII
et plus personne plus rien...
qu'est-ce que c'est que ces gens-là
qui ne sont pas foutus
de compter jusqu'à vingt?

L'ÉCOLE DES BEAUX-ARTS

Dans une boîte de paille tressée
Le père choisit une petite boule de papier
Et il la jette
Dans la cuvette
Devant ses enfants intrigués
Surgit alors
Multicolore
La grande fleur japonaise[99]
Le nénuphar instantané
Et les enfants se taisent
Émerveillés
Jamais plus tard dans leur souvenir
Cette fleur ne pourra se faner
Cette fleur subite
Faite pour eux
À la minute
Devant eux.

ÉPIPHANIE

Sur un trône de paille
un cheval couronné
un âne le fait rire
vêtu comme un jockey

Devinettes aimables
farces du bon vieux temps
écoutez les chansons
les rires des paysans
ils ont tiré les rois
et ils sont bien contents
ils ont tiré le roi
et la reine en même temps
écoutez les chansons
les rires des paysans
le roi la bouche pleine
et le verre à la main
est couché sous la table
et baigne dans son sang
il a le ventre ouvert
un petit baigneur dedans
et le sang est très rouge
et le baigneur tout blanc
Devinettes aimables

farces du bon vieux temps
sur la porte du palais
la reine droite et blême
est soigneusement clouée
ses yeux sont grands ouverts
son regard est très dur
elle est coupée en deux
comme un panaris mûr

Devinettes aimables
farces du bon vieux temps
sur un trône de paille
un cheval couronné
un âne le fait rire
vêtu comme un jockey.

ÉCRITURES SAINTES

À Paul et Virginie[100]
au tenon et à la mortaise
à la chèvre et au chou
à la paille et à la poutre
au-dessus et au-dessous du panier
à Saint-Pierre et à Miquelon
à la une et à la deux
à la mygale et à la fourmi
au zist et au zest
à votre santé et à la mienne
au bien et au mal
à Dieu et au Diable
à Laurel et à Hardy.

Dieu est un grand lapin
Il habite plus haut que la terre
tout en haut là-haut dans les cieux
dans son grand terrier nuageux.
Le diable est un grand lièvre rouge
avec un fusil tout gris
pour tirer dans l'ombre de la nuit
mais Dieu est un gros lapin
il a l'oreille du monde[101]
il connaît la musique
une fois il a eu un grand fils

un joyeux lapin
et il l'a envoyé sur la terre
pour sauver les lapins d'en bas
et son fils a été rapidement liquidé
et on l'a appelé civet.
Évidemment il a passé de bien mauvais moments
et puis il a repris du poil de la bête
il s'est remis les os en place
les reins le râble la tête et tout
et il a fait un bond prodigieux
et le voilà maintenant rude lapin
bondissant dans les cieux
à la droite et à la gauche
du grand lapin tout-puissant.
Et le diable tire dans l'ombre
et revient bredouille chaque nuit
rien dans son charnier
rien à se mettre sous la charnière[102]
et il pique de grandes colères
il arrache sa casquette de sur sa tête
et il piétine dans la poussière
et après il est bien avancé
et il est obligé de mettre
tous les jours que le lapin fait
son chapeau des dimanches.
Mais son chapeau des dimanches
c'est un fantôme de lapin
un feu follet des fabriques
et il fait des facéties
c'est pour cela que le diable
n'a jamais son chapeau sur la tête
pas même les jours de fête
mais à côté de sa tête
au-dessus de sa tête
ou même comme ça derrière la tête
oui

exactement à dix ou quinze centimètres
derrière sa tête
et il attrape tout le temps des migraines
de la grêle du vent
et des otites dans les oreilles.
Quand il rencontre Dieu
il est très embêté
parce qu'il doit le saluer
c'est réglementaire
puisque c'est Dieu le fondateur
du ciel et de la terre
lui il est seulement l'inventeur
de la pierre à feu
et Dieu lui dit
Je vous en prie mon ami restez couvert
mais le diable ne peut pas
mettez-vous à sa place
puisque son chapeau ne tient pas en place
alors il se rend compte
qu'il est légèrement ridicule
et il s'en retourne chez lui en courant
il allume un grand feu en pleurant
et il se regarde dans son armoire à glace
en faisant des grimaces
et puis il jette l'armoire dans le feu
et quand l'armoire se met à pétiller
à craquer à crier
il devient tout à coup très joyeux
et il se couche sur le brasier
avec une grande flamme blanche
comme oreiller
et il ronronne tout doucement
comme le feu
comme les chats quand ils sont heureux
et il rêve aux bons tours
qu'il va jouer au bon Dieu.

171

Dieu est aussi un prêteur sur gage
un vieil usurier
il se cache dans une bicoque
tout en haut de son mont-de-piété
et il prête à la petite semaine
au mois au siècle et à l'éternité
et ceux qui redescendent avec un peu d'argent
en bas dans la vallée le diable les attend
il leur fauche leur fric
il leur fout une volée
et s'en va en chantant la pluie et le beau temps.
Dieu est aussi un grand voyageur
et quand il voyage
pas moyen de le faire tenir en place
il s'installe dans tous les wagons
et il descend dans tous les hôtels à la fois
à ces moments-là
tous les voyageurs marchent à pied
et couchent dehors
et le diable passe
et crie
Oreillers couvertures
et tous appellent
Pst... Pst... Pst...
mais lui dit ça simplement comme ça
pour les emmerder un peu plus
il a autre chose à faire
que de s'occuper vraiment de ces gens-là
il est seulement un peu content
parce qu'ils prennent froid.

Dieu est aussi une grosse dinde de Noël
qui se fait manger par les riches
pour souhaiter la fête à son fils.

Alors les coudes sur la sainte table
le Diable regarde Dieu en face
avec un sourire de côté
et il fait du pied aux anges et Dieu est bien embêté.

LA BATTEUSE[103]

La batteuse est arrivée
la batteuse est repartie

Ils ont battu le tambour
ils ont battu les tapis
ils ont tordu le linge
ils l'ont pendu
ils l'ont repassé
ils ont fouetté la crème et ils l'ont renversée
ils ont fouetté un peu leurs enfants aussi
ils ont sonné les cloches
ils ont égorgé le cochon
ils ont grillé le café
ils ont fendu le bois
ils ont cassé les œufs
ils ont fait sauter le veau avec les petits pois
ils ont flambé l'omelette au rhum
ils ont découpé la dinde
ils ont tordu le cou aux poulets
ils ont écorché les lapins
ils ont éventré les barriques
ils ont noyé leur chagrin dans le vin
ils ont claqué les portes et les fesses des femmes
ils se sont donné un coup de main

ils se sont rendu des coups de pied
ils ont basculé la table
ils ont arraché la nappe
ils ont poussé la romance[104]
ils se sont étranglés étouffés tordus de rire
ils ont brisé la carafe d'eau frappée
ils ont renversé la crème renversée
ils ont pincé les filles
ils les ont culbutées dans le fossé
ils ont mordu la poussière
ils ont battu la campagne
ils ont tapé des pieds
tapé des pieds tapé des mains
ils ont crié et ils ont hurlé ils ont chanté
ils ont dansé
ils ont dansé autour des granges où le blé était
    enfermé

Où le blé était enfermé moulu fourbu vaincu
battu.

LE MIROIR BRISÉ

Le petit homme qui chantait sans cesse
le petit homme qui dansait dans ma tête
le petit homme de la jeunesse
a cassé son lacet de soulier
et toutes les baraques de la fête
tout d'un coup se sont écroulées
et dans le silence de cette fête
dans le désert de cette fête
j'ai entendu ta voix heureuse
ta voix déchirée et fragile
enfantine et désolée
venant de loin et qui m'appelait
et j'ai mis ma main sur mon cœur
où remuaient
ensanglantés
les sept éclats de glace de ton rire étoilé.

QUARTIER LIBRE

J'ai mis mon képi dans la cage
et je suis sorti avec l'oiseau sur la tête
Alors
on ne salue plus
a demandé le commandant
Non
on ne salue plus
a répondu l'oiseau
Ah bon
excusez-moi je croyais qu'on saluait
a dit le commandant
Vous êtes tout excusé tout le monde peut se tromper
a dit l'oiseau.

L'ORDRE NOUVEAU[105]

Le soleil gît sur le sol
Litre de vin rouge brisé
Une maison comme un ivrogne
Sur le pavé s'est écroulée
Et sous son porche encore debout
Une jeune fille est allongée
Un homme à genoux près d'elle
Est en train de l'achever
Dans la plaie où remue le fer
Le cœur ne cesse de saigner
Et l'homme pousse un cri de guerre
Comme un absurde cri de paon
Et son cri se perd dans la nuit
Hors la vie hors du temps
Et l'homme au visage de poussière
L'homme perdu et abîmé
Se redresse et crie « Heil Hitler! »
D'une voix désespérée
En face de lui dans les débris
D'une boutique calcinée
Le portrait d'un vieillard blême[106]
Le regarde avec bonté
Sur sa manche des étoiles brillent
D'autres aussi sur son képi

178

Comme les étoiles brillent à Noël
Sur les sapins pour les petits
Et l'homme des sections d'assaut
Devant le merveilleux chromo
Soudain se retrouve en famille
Au cœur même de l'ordre nouveau
Et remet son poignard dans sa gaine
Et s'en va tout droit devant lui
Automate de l'Europe nouvelle
Détraqué par le mal du pays
Adieu adieu Lily Marlène[107]
Et son pas et son chant s'éloignent dans la nuit
Et le portrait du vieillard blême
Au milieu des décombres
Reste seul et sourit
Tranquille dans la pénombre
Sénile et sûr de lui.

AU HASARD DES OISEAUX

J'ai appris très tard à aimer les oiseaux
je le regrette un peu
mais maintenant tout est arrangé
on s'est compris
ils ne s'occupent pas de moi
je ne m'occupe pas d'eux
je les regarde
je les laisse faire
tous les oiseaux font de leur mieux
ils donnent l'exemple
pas l'exemple comme par exemple Monsieur Glacis
qui s'est remarquablement courageusement conduit
pendant la guerre ou l'exemple du petit Paul qui était
si pauvre et si beau et tellement honnête avec ça et
qui est devenu plus tard le grand Paul si riche et si
vieux si honorable et si affreux et si avare et si chari-
table et si pieux
ou par exemple cette vieille servante qui eut une vie
et une mort exemplaires jamais de discussions pas ça
l'ongle claquant sur la dent pas ça de discussion avec
monsieur ou avec madame au sujet de cette affreuse
question des salaires
non
les oiseaux donnent l'exemple

l'exemple comme il faut
exemple des oiseaux
exemple des oiseaux
exemple les plumes les ailes le vol des oiseaux
exemple le nid les voyages et les chants des oiseaux
exemple la beauté des oiseaux
exemple le cœur des oiseaux
la lumière des oiseaux.

VOUS ALLEZ VOIR
CE QUE VOUS ALLEZ VOIR

Une fille nue nage dans la mer
Un homme barbu marche sur l'eau[108]
Où est la merveille des merveilles
Le miracle annoncé plus haut?

IMMENSE ET ROUGE

Immense et rouge
Au-dessus du Grand Palais[109]
Le soleil d'hiver apparaît
Et disparaît
Comme lui mon cœur va disparaître
Et tout mon sang va s'en aller
S'en aller à ta recherche
Mon amour
Ma beauté
Et te trouver
Là où tu es.

CHANSON

Quel jour sommes-nous
Nous sommes tous les jours
Mon amie
Nous sommes toute la vie
Mon amour
Nous nous aimons et nous vivons
Nous vivons et nous nous aimons
Et nous ne savons pas ce que c'est que la vie
Et nous ne savons pas ce que c'est que le jour
Et nous ne savons pas ce que c'est que l'amour.

COMPOSITION FRANÇAISE

Tout jeune Napoléon était très maigre
et officier d'artillerie
plus tard il devint empereur
alors il prit du ventre et beaucoup de pays
et le jour où il mourut il avait encore
du ventre
mais il était devenu plus petit.

L'ÉCLIPSE

Louis XIV qu'on appelait aussi le Roi Soleil
était souvent assis sur une chaise percée[110]
vers la fin de son règne
une nuit où il faisait très sombre
le Roi Soleil se leva de son lit
alla s'asseoir sur sa chaise
et disparut.

CHANSON DU GEÔLIER

Où vas-tu beau geôlier
Avec cette clé tachée de sang
Je vais délivrer celle que j'aime
S'il en est encore temps
Et que j'ai enfermée
Tendrement cruellement
Au plus secret de mon désir
Au plus profond de mon tourment
Dans les mensonges de l'avenir
Dans les bêtises des serments
Je veux la délivrer
Je veux qu'elle soit libre
Et même de m'oublier
Et même de s'en aller
Et même de revenir
Et encore de m'aimer
Ou d'en aimer un autre
Si un autre lui plaît
Et si je reste seul
Et elle en allée
Je garderai seulement
Je garderai toujours

Dans mes deux mains en creux
Jusqu'à la fin des jours
La douceur de ses seins modelés par l'amour.

LE CHEVAL ROUGE

Dans les manèges du mensonge
Le cheval rouge de ton sourire
Tourne
Et je suis là debout planté
Avec le triste fouet de la réalité
Et je n'ai rien à dire
Ton sourire est aussi vrai
Que mes quatre vérités.

LES PARIS STUPIDES

Un certain Blaise Pascal[111]
etc... etc...

PREMIER JOUR

Des draps blancs dans une armoire
Des draps rouges dans un lit
Un enfant dans sa mère
Sa mère dans les douleurs
Le père dans le couloir
Le couloir dans la maison
La maison dans la ville
La ville dans la nuit
La mort dans un cri
Et l'enfant dans la vie.

LE MESSAGE

La porte que quelqu'un a ouverte
La porte que quelqu'un a refermée
La chaise où quelqu'un s'est assis
Le chat que quelqu'un a caressé
Le fruit que quelqu'un a mordu
La lettre que quelqu'un a lue
La chaise que quelqu'un a renversée
La porte que quelqu'un a ouverte
La route où quelqu'un court encore
Le bois que quelqu'un traverse
La rivière où quelqu'un se jette
L'hôpital où quelqu'un est mort.

Heureux comme la truite
Voici la fête foraine
Tandis que l'eau du torrent
En appelant les uns

FÊTE FORAINE

Heureux comme la truite remontant le torrent
Heureux le cœur du monde
Sur son jet d'eau de sang
Heureux le limonaire
Hurlant dans la poussière
De sa voix de citron
Un refrain populaire
Sans rime ni raison
Heureux les amoureux
Sur les montagnes russes
Heureuse la fille rousse
Sur son cheval blanc
Heureux le garçon brun
Qui l'attend en souriant
Heureux cet homme en deuil
Debout dans sa nacelle
Heureuse la grosse dame
Avec son cerf-volant
Heureux le vieil idiot
Qui fracasse la vaisselle
Heureux dans son carrosse
Un tout petit enfant
Malheureux les conscrits
Devant le stand de tir

Visant le cœur du monde
Visant leur propre cœur
Visant le cœur du monde
En éclatant de rire.

CHEZ LA FLEURISTE

Un homme entre chez une fleuriste
et choisit des fleurs
la fleuriste enveloppe les fleurs
l'homme met la main à sa poche
pour chercher l'argent
l'argent pour payer les fleurs
mais il met en même temps
subitement
la main sur son cœur
et il tombe

En même temps qu'il tombe
l'argent roule à terre
et puis les fleurs tombent
en même temps que l'homme
en même temps que l'argent
et la fleuriste reste là
avec l'argent qui roule
avec les fleurs qui s'abîment
avec l'homme qui meurt
évidemment tout cela est très triste
et il faut qu'elle fasse quelque chose
la fleuriste
mais elle ne sait pas comment s'y prendre

elle ne sait pas
par quel bout commencer

Il y a tant de choses à faire
avec cet homme qui meurt
ces fleurs qui s'abîment
et cet argent
cet argent qui roule
qui n'arrête pas de rouler.

L'ÉPOPÉE

Le tombereau de l'empereur passe interminablement
Un invalide le conduit qui marche sur une main
Une main gantée de blanc
De l'autre main il tient la bride
Il a perdu ses deux jambes dans l'histoire
Il y a de cela très longtemps
Et elles se promènent là-bas
Dans l'histoire
Chacune de son côté
Et quand elles se rencontrent
Elles se donnent des coups de pied
À la guerre comme à la guerre
Qu'est-ce que vous voulez.

LE SULTAN

Dans les montagnes de Cachemire
Vit le sultan de Salamandragore[112]
Le jour il fait tuer un tas de monde
Et quand vient le soir il s'endort
Mais dans ses cauchemars les morts se cachent
Et le dévorent
Alors une nuit il se réveille
En poussant un grand cri
Et le bourreau tiré de son sommeil
Arrive souriant au pied du lit
S'il n'y avait pas de vivants
Dit le sultan
Il n'y aurait pas de morts
Et le bourreau répond D'accord
Que tout le reste y passe alors
Et qu'on n'en parle plus
D'accord dit le bourreau
C'est tout ce qu'il sait dire
Et tout le reste y passe comme le sultan l'a dit
Les femmes les enfants les siens et ceux des autres
Le veau le loup la guêpe et la douce brebis
Le bon vieillard intègre et le sobre chameau
Les actrices des théâtres le roi des animaux
Les planteurs de bananes les faiseurs de bons mots

Et les coqs et leurs poules les œufs avec leur coque
Et personne ne reste pour enterrer quiconque
Comme ça ça va
Dit le sultan de Salamandragore
Mais reste là bourreau
Là tout près de moi
Et tue-moi
Si jamais je me rendors.

ET LA FÊTE CONTINUE

Debout devant le zinc[113]
Sur le coup de dix heures
Un grand plombier zingueur
Habillé en dimanche et pourtant c'est lundi
Chante pour lui tout seul
Chante que c'est jeudi
Qu'il n'ira pas en classe
Que la guerre est finie
Et le travail aussi
Que la vie est si belle
Et les filles si jolies
Et titubant devant le zinc
Mais guidé par son fil à plomb
Il s'arrête pile devant le patron
Trois paysans passeront et vous paieront
Puis disparaît dans le soleil
Sans régler les consommations
Disparaît dans le soleil tout en continuant sa chanson.

COMPLAINTE DE VINCENT

À Paul Éluard

À Arles où roule le Rhône
Dans l'atroce lumière de midi
Un homme de phosphore et de sang
Pousse une obsédante plainte
Comme une femme qui fait son enfant
Et le linge[114] devient rouge
Et l'homme s'enfuit en hurlant
Pourchassé par le soleil
Un soleil d'un jaune strident
Au bordel tout près du Rhône
L'homme arrive comme un roi mage
Avec son absurde présent
Il a le regard bleu et doux
Le vrai regard lucide et fou
De ceux qui donnent tout à la vie
De ceux qui ne sont pas jaloux
Et montre à la pauvre enfant
Son oreille couchée dans le linge
Et elle pleure sans rien comprendre
Songeant à de tristes présages
Et regarde sans oser le prendre
L'affreux et tendre coquillage

Où les plaintes de l'amour mort
Et les voix inhumaines de l'art
Se mêlent aux murmures de la mer
Et vont mourir sur le carrelage
Dans la chambre où l'édredon rouge
D'un rouge soudain éclatant
Mélange ce rouge si rouge
Au sang bien plus rouge encore
De Vincent à demi mort
Et sage comme l'image même
De la misère et de l'amour
L'enfant nue toute seule sans âge
Regarde le pauvre Vincent
Foudroyé par son propre orage
Qui s'écroule sur le carreau
Couché dans son plus beau tableau
Et l'orage s'en va calmé indifférent
En roulant devant lui ses grands tonneaux de sang
L'éblouissant orage du génie de Vincent
Et Vincent reste là dormant rêvant râlant
Et le soleil au-dessus du bordel
Comme une orange folle dans un désert sans nom
Le soleil sur Arles
En hurlant tourne en rond.

DIMANCHE

Entre les rangées d'arbres de l'avenue des Gobelins
Une statue de marbre me conduit par la main
Aujourd'hui c'est dimanche les cinémas sont pleins
Les oiseaux dans les branches regardent les humains
Et la statue m'embrasse mais personne ne nous voit
Sauf un enfant aveugle qui nous montre du doigt.

LE JARDIN

Des milliers et des milliers d'années
Ne sauraient suffire
Pour dire
La petite seconde d'éternité
Où tu m'as embrassé
Où je t'ai embrassée
Un matin dans la lumière de l'hiver
Au parc Montsouris à Paris
À Paris
Sur la terre
La terre qui est un astre.

L'AUTOMNE

Un cheval s'écroule au milieu d'une allée
Les feuilles tombent sur lui
Notre amour frissonne
Et le soleil aussi.

PARIS AT NIGHT

Trois allumettes une à une allumées dans la nuit
La première pour voir ton visage tout entier
La seconde pour voir tes yeux
La dernière pour voir ta bouche
Et l'obscurité tout entière pour me rappeler tout cela
En te serrant dans mes bras.

LE BOUQUET

Que faites-vous là petite fille
Avec ces fleurs fraîchement coupées
Que faites-vous là jeune fille
Avec ces fleurs ces fleurs séchées
Que faites-vous là jolie femme
Avec ces fleurs qui se fanent
Que faites-vous là vieille femme
Avec ces fleurs qui meurent

J'attends le vainqueur.

BARBARA

Rappelle-toi Barbara
Il pleuvait sans cesse sur Brest ce jour-là
Et tu marchais souriante
Épanouie ravie ruisselante
Sous la pluie
Rappelle-toi Barbara
Il pleuvait sans cesse sur Brest
Et je t'ai croisée rue de Siam[115]
Tu souriais
Et moi je souriais de même
Rappelle-toi Barbara
Toi que je ne connaissais pas
Toi qui ne me connaissais pas
Rappelle-toi
Rappelle-toi quand même ce jour-là
N'oublie pas
Un homme sous un porche s'abritait
Et il a crié ton nom
Barbara
Et tu as couru vers lui sous la pluie
Ruisselante ravie épanouie
Et tu t'es jetée dans ses bras
Rappelle-toi cela Barbara

Et ne m'en veux pas si je te tutoie
Je dis tu à tous ceux que j'aime
Même si je ne les ai vus qu'une seule fois
Je dis tu à tous ceux qui s'aiment
Même si je ne les connais pas
Rappelle-toi Barbara
N'oublie pas
Cette pluie sage et heureuse
Sur ton visage heureux
Sur cette ville heureuse
Cette pluie sur la mer
Sur l'arsenal
Sur le bateau d'Ouessant
Oh Barbara
Quelle connerie la guerre
Qu'es-tu devenue maintenant
Sous cette pluie de fer
De feu d'acier de sang
Et celui qui te serrait dans ses bras
Amoureusement
Est-il mort disparu ou bien encore vivant
Oh Barbara
Il pleut sans cesse sur Brest
Comme il pleuvait avant
Mais ce n'est plus pareil et tout est abîmé
C'est une pluie de deuil terrible et désolée
Ce n'est même plus l'orage
De fer d'acier de sang
Tout simplement des nuages
Qui crèvent comme des chiens
Des chiens qui disparaissent
Au fil de l'eau sur Brest
Et vont pourrir au loin
Au loin très loin de Brest
Dont il ne reste rien[116]

INVENTAIRE

Une pierre
deux maisons
trois ruines
quatre fossoyeurs
un jardin
des fleurs

un raton laveur

une douzaine d'huîtres un citron un pain
un rayon de soleil
une lame de fond
six musiciens
une porte avec son paillasson
un monsieur décoré de la légion d'honneur

un autre raton laveur

un sculpteur qui sculpte des Napoléon
la fleur qu'on appelle aussi
deux amoureux sur un grand lit
un receveur des contributions une chaise trois din-
    dons
un ecclésiastique un furoncle

une guêpe
un rein flottant[117]
une écurie de courses
un fils indigne deux frères dominicains trois saute-
relles un strapontin
deux filles de joie un oncle Cyprien
une Mater dolorosa trois papas gâteau deux chèvres
de Monsieur Seguin[118]
un talon Louis XV[119]
un fauteuil Louis XVI
un buffet Henri II deux buffets Henri III trois buffets
Henri IV
un tiroir dépareillé
une pelote de ficelle deux épingles de sûreté un monsieur âgé
une Victoire de Samothrace[120] un comptable deux
aides-comptables un homme du monde deux
chirurgiens trois végétariens
un cannibale
une expédition coloniale un cheval entier[121] une
demi-pinte de bon sang une mouche tsé-tsé
un homard à l'américaine un jardin à la française
deux pommes à l'anglaise
un face-à-main un valet de pied un orphelin un poumon d'acier
un jour de gloire
une semaine de bonté
un mois de Marie[122]
une année terrible
une minute de silence
une seconde d'inattention
et...

cinq ou six ratons laveurs
un petit garçon qui entre à l'école en pleurant
un petit garçon qui sort de l'école en riant

une fourmi

deux pierres à briquet

dix-sept éléphants un juge d'instruction en vacances assis sur un pliant

un paysage avec beaucoup d'herbe verte dedans

une vache

un taureau

deux belles amours trois grandes orgues un veau marengo

un soleil d'Austerlitz

un siphon d'eau de Seltz

un vin blanc citron

un Petit Poucet un grand pardon[123] un calvaire de pierre une échelle de corde

deux sœurs latines[124] trois dimensions douze apôtres mille et une nuits trente-deux positions six parties du monde cinq points cardinaux dix ans de bons et loyaux services sept péchés capitaux deux doigts de la main dix gouttes avant chaque repas trente jours de prison dont quinze de cellule cinq minutes d'entracte.

et...

plusieurs ratons laveurs.

212

LA RUE DE BUCI [125] MAINTENANT...

Où est-il parti
le petit monde fou du dimanche matin
Qui donc a baissé cet épouvantable rideau de pous-
    sière et de fer sur cette rue
cette rue autrefois si heureuse et si fière d'être rue
comme une fille heureuse et fière d'être nue.
Pauvre rue
te voilà maintenant abandonnée dans le quartier
abandonné lui-même dans la ville dépeuplée.
Pauvre rue
morne corridor menant d'un point mort à un autre
    point mort
tes chiens maigres et seuls et ton gros mutilé de
    guerre
qui a tellement maigri lui aussi
et qui passe dans sa petite voiture mécanique
traversant au hasard sans savoir où aller
s'arrêtant n'importe où sans même savoir où c'est
il s'était fait une raison d'homme
une fois l'autre guerre finie [126]
une raison avec sa voiture
une raison avec ses deux jambes arrachées
et il avait ses petites habitudes
on lui disait bonjour il connaissait tout le monde

et tout le monde le connaissait.
Et il roulait
il s'arrêtait pour boire un verre il oubliait il plaisantait
et puis il allait déjeuner
et voilà qu'encore une fois tout a encore recommencé
et il roule lentement dans sa rue
et il ne la reconnaît plus
et elle ne le reconnaît plus non plus
et la misère debout fait la queue aux portes du malheur
aux portes de l'ennui
et la rue est vide et triste
abandonnée comme une vieille boîte au lait
et elle se tait.
Pauvre rue qui ne veut plus qui ne peut plus rien dire
pauvre rue dépareillée et sous-alimentée
on t'a retiré le pain de la bouche
on t'a arraché les ovaires
on t'a coupé l'herbe sous le pied
on t'a rentré tes chansons dans la gorge
on t'a enlevé ta gaieté
et le diamant de ton rire s'est brisé les dents
sur le rideau de fer de la connerie et de la haine
et les gosses du quartier ne sortent plus de chez le
     boulanger souriants en mangeant la pesée[127]
au Cours des Halles les sanguines[128]
les petits soleils de Valence
ne roulent plus dans les balances
dans les filets des ménagères
abandonnant sur le trottoir
leurs jolies robes de papier
avec des toréadors et de belles cigarières
imprimées de toutes les couleurs
et puis des noms de villes étrangères
pour faire rêver les étrangers.

214

Et toi citron jaune
toi qui trônais comme un seigneur au milieu de tes
    Portugaises[129] vertes
tu étais l'astre de la misère
la lumière du repas de midi et demi.
Où es-tu maintenant
citron jaune qui venais des autres pays
et toi vieille cloche qui vendais des crayons
et qui trouvais dans le vin rouge et dans tes rêves
    sous les ponts
d'extraordinaires balivernes des histoires d'un autre
    monde
de prodigieuses choses sans nom
où es-tu
où sont tes crayons...
Et vous marchandes à la sauvette
où sont vos lacets vos oignons
où est le bleu de la lessive
où sont les aiguilles et le fil et les épingles de sûreté.
Et vous filles des quatre saisons
vous êtes là encore bien sûr
mais le cœur n'y est plus
le cœur de ce quartier
le cœur de ces artères
le cœur de cette rue
et vous vendez de mauvaises herbes
et vous avez beaucoup changé.
Vos cris n'ont plus la même musique
dans votre voix quelque chose est brisé...
Et toi jolie fille
qui te promenais
et qui vivais
autour et alentour de la rue de Buci
toi qui grandissais dans ce paysage
toi qui te promenais tous les matins

avec ton chien
avec ton pain
et puis qui es partie
maintenant tu es revenue
et toi non plus tu ne reconnais plus ta rue.
La rue où tu marchais le dimanche matin
avec ton chien
et puis ton pain
tu venais à peine de te réveiller
tes yeux étaient grands ouverts
et brillaient
et tu paraissais nue sous ta robe légère
et tu souriais
heureuse qu'on te regarde
et d'être regardée
devinée désirée
caressée du regard par ta rue tout entière
par ta rue de Buci
qui fronçait le sourcil
qui haussait les épaules
qui faisait celle qui est en colère
et te montrait du doigt
et te traitait de tous les noms
Si ce n'est pas une honte
à son âge
avez-vous déjà vu ça...
et parlait d'en parler à ton père
ta rue de Buci
qui faisait l'indignée
celle qui était en colère
mais dans le fond
heureuse et fière
de ta beauté éblouissante

de ta provocante jeunesse
de ta merveilleuse pauvreté
de ta merveilleuse liberté.

1942.

LA MORALE DE L'HISTOIRE

Brunehaut sous ton image une légende épique
Précise tes derniers moments chaotiques
Et traînée par un cheval indompté
Tu entres dans l'histoire en pièces détachées
Mais la gravure te représente
Nue sculpturale séduisante
Et pourquoi ne pas l'avouer mon Dieu
Désirable en diable
Excitante
Et pourtant Brunehaut
Tu peux bien le dire maintenant
Que tu es morte depuis si longtemps
Quand tu es morte
Historiquement
Tu avais bien tout de même dans les quatre-vingts ans
Et derrière ton fameux cheval indompté
Tu devais plutôt ressembler
Pauvre reine mère édentée et détrônée
À une vieille casserole rouillée
Attachée à la queue d'un chien
Par d'impitoyables vauriens
Qu'à l'image décrite plus haut
De l'éblouissante Brunehaut
Mais il faut bien faire un dessin

Pour rendre l'histoire attachante
Et le collégien qui se touche
Évoquant tes fesses et tes seins
En apprenant l'histoire de France
Est attaché lui aussi
Comme l'est le cheval fougueux
Par la queue à tes faux cheveux
Attaché à ton image
Par la queue et par la main
Désolante caresse de collège
Minable orgie de patronage
Dérisoire palais des mirages
Mais Dieu qui sait prendre les choses de très haut
Intervient fort judicieusement
En faveur de son petit chanteur de la manécanterie
Allez vous rhabiller Brunehaut
C'est fini pour aujourd'hui le boulot
Et Brunehaut monte sur son vieux cheval couronné
Et Dieu monte à son tour et en croupe galamment der-
    rière elle
Et les voilà partis pour la grande écurie historique
    catholique apostolique
Et romaine
Dieu refermant sagement le livre derrière lui
L'adolescent alors reprend ses sains esprits
La chanson de geste est finie
Et comme un garçon d'honneur qui vient de terminer
    d'un trait un étourdissant monologue
Et qui voit soudain la table desservie
Les lumières éteintes et les bosquets déserts
Les garçons endormis et la mariée partie
Il se trouve soudain horriblement gêné
Et tout ce qu'il y a de plus seul et de plus honteux sur
    la terre
Le remarquable et exemplaire bon élève des bons
    pères

Tout seul comme un orphelin ordinaire
Ou comme un veuf
Tout seul au milieu de la classe
Dans la pénombre et dans le désarroi
Et dans une tenue dont le moins qu'on puisse dire
C'est qu'elle est négligée
Et il frissonne fébrile et dans tous ses états
Y compris l'état de péché mortel
Marié avec lui-même et pour la première fois
Sans le consentement de ses parents
Ni de qui d'autre que ce soit
Et dans ses méninges les échos d'une absurde obs-
    cène musique résonnent encore
La musique d'un obscène et triste manège
Entraînant tournant sur lui-même et sous la pluie
Dans un absurde paysage sans arbre sans âme qui
    vive sans maison sans perspective sans horizon
Et sans rien qui vaille vraiment la peine d'être cité ici
D'absurdes reines de France sur d'absurdes chevaux
    de bois mort
Aux sons de l'absurde et obscène musique
D'un absurde piano mécanique
Mis en branle
C'est précisément le cas de le dire
Par un absurde chien battu mouillé velléitaire
L'absurde chien battu du plaisir solitaire
Traînant après sa queue l'ustensile imbécile
L'ustensile sacré
La casserole d'or du remords
Et le chien affolé fonce dans le brouillard bousculant
    le décor
Désespéré dans les couloirs
Entraînant à sa suite dans une abominable contagion
    sonore
Toute la batterie de cuisine du Saint Office des morts.

LA GLOIRE

Coiffée d'un diadème d'épines[130]
Et des éperons plein les talons
Toute nue sous son manteau d'hermine
La femme à barbe entre au salon
Je suis la grandeur d'âme
Je donne des leçons de diction
Des leçons de prédication de claudication de prédic-
   tion de malédiction de persécution de soustraction
   de multiplication de bénédiction de crucifixion de
   moralisation de mobilisation de distinction de muti-
   lation d'autodestruction et d'imitation[131] de Notre-
   Seigneur Jésus-Christ avec le programme complet
   de la soirée et la photographie de tous les grands
   hommes qui ont joué dans la pièce et en prime je
   donne la clef des singes publiée sous la haute
   direction d'un célèbre anthropopithèque national
Et aussi le manuel du parfait gradé
Le Kamasoutra[132] expurgé
Et la liste complète et officielle
De tous les lots non réclamés
Et aussi un catéchisme de persévérance
Et douze bouteilles d'eau minérale
Avec la petite clef spéciale
Qui sert à les déboucher.

IL NE FAUT PAS...

Il ne faut pas laisser les intellectuels jouer avec les
allumettes
Parce que Messieurs quand on le laisse seul
Le monde mental Messsssieurs
N'est pas du tout brillant
Et sitôt qu'il est seul
Travaille arbitrairement
S'érigeant pour soi-même
Et soi-disant généreusement en l'honneur des
travailleurs du bâtiment
Un auto-monument
Répétons-le Messssssieurs
Quand on le laisse seul
Le monde mental
Ment
Monumentalement.

CONVERSATION

Le porte-monnaie :

Je suis d'une incontestable utilité c'est un fait

Le porte-parapluie :

D'accord mais tout de même il faut bien reconnaître

Que si je n'existais pas il faudrait m'inventer

Le porte-drapeau :

Moi je me passe de commentaires

Je suis modeste et je me tais

D'ailleurs je n'ai pas le droit de parler

Le porte-bonheur :

Moi je porte bonheur parce que c'est mon métier

Les trois autres (hochant la tête) :

Jolie mentalité !

OSIRIS
OU
LA FUITE EN ÉGYPTE

C'est la guerre c'est l'été
Déjà l'été encore la guerre
Et la ville isolée désolée
Sourit sourit encore
Sourit sourit quand même
De son doux regard d'été
Sourit doucement à ceux qui s'aiment
C'est la guerre et c'est l'été
Un homme avec une femme
Marchent dans un musée
Leurs pas sont les seuls pas dans ce musée désert
Ce musée c'est le Louvre
Cette ville c'est Paris
Et la fraîcheur du monde
Est là tout endormie
Un gardien se réveille en entendant les pas
Appuie sur un bouton et retombe dans son rêve
Cependant qu'apparaît dans sa niche de pierre
La merveille de l'Égypte debout dans sa lumière
La statue d'Osiris vivante dans le bois mort
Vivante à faire mourir une nouvelle fois de plus
Toutes les idoles mortes des églises de Paris
Et les amants s'embrassent

Osiris les marie
Et puis rentre dans l'ombre
De sa vivante nuit.

LE DISCOURS SUR LA PAIX

Vers la fin d'un discours extrêmement important
le grand homme d'État trébuchant
sur une belle phrase creuse
tombe dedans
et désemparé la bouche grande ouverte
haletant
montre les dents
et la carie dentaire de ses pacifiques raisonnements
met à vif le nerf de la guerre
la délicate question d'argent.

LE CONTRÔLEUR

Allons allons
Pressons
Allons allons
Voyons pressons
Il y a trop de voyageurs
Trop de voyageurs
Pressons pressons
Il y en a qui font la queue
Il y en a partout
Beaucoup
Le long du débarcadère
Ou bien dans les couloirs du ventre de leur mère
Allons allons pressons
Pressons sur la gâchette
Il faut bien que tout le monde vive
Alors tuez-vous un peu
Allons allons
Voyons
Soyons sérieux
Laissez la place
Vous savez bien que vous ne pouvez pas rester là
Trop longtemps
Il faut qu'il y en ait pour tout le monde
Un petit tour on vous l'a dit

Un petit tour du monde
Un petit tour dans le monde
un petit tour et on s'en va
Allons allons
Pressons pressons
Soyez polis
Ne poussez pas.

SALUT À L'OISEAU

Je te salue
geai d'eau d'un noir de jais
que je connus jadis
oiseau des fées
oiseau de feu oiseau des rues
oiseau des portefaix des enfants et des fous
Je te salue
oiseau marrant
oiseau rieur
et je m'allume
en ton honneur
et je me consume
en chair et en os
et en feu d'artifice
sur le perron de la mairie
de la place Saint-Sulpice
à Paris
où tu passais très vite
lorsque j'étais enfant
riant dans les feuilles du vent
Je te salue
oiseau marrant
oiseau si heureux et si beau
oiseau libre

229

oiseau égal
oiseau fraternel
oiseau du bonheur naturel
Je te salue et je me rappelle
les heures les plus belles
Je te salue oiseau de la tendresse
oiseau des premières caresses
et je n'oublierai jamais ton rire
quand perché là-haut sur la tour
magnifique oiseau de l'humour
tu clignais de l'œil
en désignant de l'aile
les croassants oiseaux de la morale
les pauvres échassiers humains
et inhumains
les corbeaux verts de Saint-Sulpice
tristes oiseaux d'enfer
tristes oiseaux de paradis
trottant autour de l'édifice
sans voir cachés dans les échafaudages
la fille entrouvrant son corsage
devant le garçon ébloui par l'amour
Je te salue
oiseau des paresseux
oiseau des enfants amoureux
Je te salue
oiseau viril
Je te salue
oiseau des villes
Je te salue
oiseau des quatre jeudis
oiseau de la périphérie
oiseau du Gros-Caillou
oiseau des Petits-Champs
oiseau des Halles oiseau des Innocents
Je te salue

oiseau des Blancs-Manteaux
oiseau du Roi-de-Sicile
oiseau des sous-sols
oiseau des égoutiers
oiseau des charbonniers et des chiffonniers
oiseau des casquettiers de la rue des Rosiers[133]
Je te salue
oiseau des vérités premières
oiseau de la parole donnée
oiseau des secrets bien gardés
Je te salue
oiseau du pavé
oiseau des prolétaires
oiseau du Premier Mai
Je te salue
oiseau civil
oiseau du bâtiment
oiseau des hauts fourneaux et des hommes vivants
Je te salue
oiseau des femmes de ménage
oiseau des bonshommes de neige
oiseau du soleil d'hiver
oiseau des Enfants Assistés
oiseau du Quai aux fleurs et des tondeurs de chiens
Je te salue
oiseau des bohémiens
oiseau des bons à rien
oiseau du métro aérien
Je te salue
oiseau des jeux de mots
oiseau des jeux de mains
oiseau des jeux de vilains
Je te salue
oiseau du plaisir défendu
oiseau des malheureux oiseau des meurt-de-faim
oiseau des filles mères et des jardins publics

oiseau des amours éphémères et des filles publiques
Je te salue
oiseau des permissionnaires
oiseau des insoumis
oiseau du ruisseau oiseau des taudis
Je te salue
oiseau des hôpitaux
oiseau de la Salpêtrière
oiseau de la Maternité
oiseau de la cloche
oiseau de la misère
oiseau de la lumière coupée
Je te salue
Phénix fort
et je te nomme
Président de la vraie république des oiseaux
et je te fais cadeau d'avance
du mégot de ma vie
afin que tu renaisses
quand je serai mort
des cendres de celui qui était ton ami.

LE TEMPS PERDU

Devant la porte de l'usine
le travailleur soudain s'arrête
le beau temps l'a tiré par la veste
et comme il se retourne
et regarde le soleil
tout rouge tout rond
souriant dans son ciel de plomb
il cligne de l'œil
familièrement
Dis donc camarade Soleil
tu ne trouves pas
que c'est plutôt con
de donner une journée pareille
à un patron?

L'AMIRAL

L'amiral Larima
Larima quoi
la rime à rien
l'amiral Larima
l'amiral Rien.

LE COMBAT AVEC L'ANGE[134]

À J.-B. Brunius[135]

N'y va pas
tout est combiné d'avance
le match est truqué
et quand il apparaîtra sur le ring
environné d'éclairs de magnésium
ils entonneront à tue-tête le Te Deum
et avant même que tu te sois levé de ta chaise
ils te sonneront les cloches à toute volée
ils te jetteront à la figure l'éponge[136] sacrée
et tu n'auras pas le temps de lui voler dans les plumes
ils se jetteront sur toi
et il te frappera au-dessous de la ceinture
et tu t'écrouleras
les bras stupidement en croix
dans la sciure
et jamais plus tu ne pourras faire l'amour.

PLACE DU CARROUSEL[137]

Place du Carrousel
vers la fin d'un beau jour d'été
le sang d'un cheval
accidenté et dételé
ruisselait
sur le pavé
Et le cheval était là
debout
immobile
sur trois pieds
Et l'autre pied blessé
blessé et arraché
pendait
Tout à côté
debout
immobile
il y avait aussi le cocher
et puis la voiture elle aussi immobile
inutile comme une horloge cassée
Et le cheval se taisait
le cheval ne se plaignait pas
le cheval ne hennissait pas
il était là
il attendait

236

et il était si beau si triste si simple
et si raisonnable
qu'il n'était pas possible de retenir ses larmes

Oh
jardins perdus
fontaines oubliées
prairies ensoleillées
oh douleur
splendeur et mystère de l'adversité
sang et lueurs
beauté frappée
Fraternité.

CORTÈGE

Un vieillard en or avec une montre en deuil
Une reine de peine avec un homme d'Angleterre
Et des travailleurs de la paix avec des gardiens de la
mer [138]
Un hussard [139] de la farce avec un dindon [140] de la mort
Un serpent à café avec un moulin à lunettes
Un chasseur de corde avec un danseur de têtes
Un maréchal d'écume [141] avec une pipe en retraite
Un chiard [142] en habit noir avec un gentleman au maillot
Un compositeur de potence avec un gibier de
musique
Un ramasseur de conscience avec un directeur [143] de
mégots
Un repasseur de Coligny avec un amiral de ciseaux
Une petite sœur du Bengale avec un tigre de Saint-
Vincent-de-Paul [144]
Un professeur de porcelaine avec un raccommodeur
de philosophie
Un contrôleur de la Table Ronde avec des chevaliers
de la Compagnie du Gaz de Paris
Un canard à Sainte-Hélène avec un Napoléon à
l'orange
Un conservateur de Samothrace avec une Victoire de
cimetière

Un remorqueur de famille nombreuse avec un père de haute mer

Un membre de la prostate avec une hypertrophie de l'Académie française

Un gros cheval in partibus[145] avec un grand évêque de cirque

Un contrôleur à la croix de bois avec un petit chanteur[146] d'autobus

Un chirurgien terrible avec un enfant dentiste

Et le général[147] des huîtres avec un ouvreur de Jésuites.

NOCES ET BANQUETS

À William Blake[148]

Dans les ruines d'une cathédrale
Un boucher pleure comme un veau
À cause de la mort d'un oiseau
Et couchée sur les dalles craquelées
Une cloche écroulée et fêlée
Montre son battant rouillé
On dirait un gros prêtre obscène
Dont le vent soulève la soutane
Et dans la sacristie en miettes
Trois ou quatre drôles[149] en casquette
Font la quête
À l'occasion du mariage du Ciel et de l'Enfer[150]
Cela se passe en Angleterre
Et aussi en l'honneur de la Révolution française
Et même de la mort de Louis XVI
Le garçon d'honneur s'appelle William Blake
Il est tout nu et très correct
Mais il garde son chapeau sur la tête
Parce que le Saint-Esprit est dedans
C'est le Saint-Esprit de Contradiction
Quand on lui demande Esprit es-tu là

Toujours avec un doux sourire cet oiseau répond
Non
À la fin de la noce William Blake en fera cadeau au
    boucher
Il oubliera défunt son perroquet
Et s'en retournera tuer les bêtes
Avec un gros maillet
Nous ne sommes pas à un oiseau près
Pense William Blake
Tout en pensant à autre chose
C'est-à-dire à rien d'autre qu'à regarder
Une éblouissante fille invitée à la noce on ne sait pas
    par qui
Et qui est là très belle et aussi nue que lui
Une beauté
Pense William une beauté d'un calme éclatant
Pure comme le vin rouge
Et innocente comme le printemps
Et il la regarde parce qu'il a envie d'elle
Elle le regarde aussi parce que peut-être elle aussi
    elle a envie de lui
C'est alors qu'arrive avec son petit orgue
Un grand canard de Barbarie
Et il joue un air de tous les temps et de tous les pays
Et la noce commence
La noce proprement dite
Précise William Blake
Car il y a des choses qui sont si mal dites
Et si malproprement
C'est pour la messe que vous dites ça
Demande un vieil homme à tête de prophète ou
    d'évêque
Et qui a l'air très contrarié
Mais William Blake est un gentleman
Un homme gentil comme on dit en Angleterre
Et il n'a pas du tout envie de discuter avec un évêque

Le jour du mariage du Ciel et de l'Enfer
Et aussi même qui sait peut-être par la même occasion
Le jour de ses propres noces
Puisque la jolie fille est si belle
Et que sans aucun doute il l'aime
Et que peut-être elle l'aime aussi
Alors il se contente de dire
À l'homme à la tête d'évêque ou de prophète ou
    d'épingle de sûreté

« De même que la chenille choisit pour y poser ses œufs
les feuilles les plus belles ainsi le prêtre pose ses
    malédictions sur nos plus belles joies[181] »

Et alors en avant la musique
Pour la messe nous en reparlerons une autre fois
Et comme il a dit En avant la musique
La musique s'avance
Et derrière elle la fille éblouissante
Qui sourit à William Blake
Parce qu'un jour il a dit aussi

« C'est avec les pierres de la loi qu'on a bâti les prisons
et avec les briques de la religion les bordels[182] »

Et elle lui donne le bras
Et tout le reste avec
Et qui est-ce qui est bien content
C'est William
William Blake.

PROMENADE DE PICASSO

Sur une assiette bien ronde en porcelaine réelle
une pomme pose
Face à face avec elle
un peintre de la réalité
essaie vainement de peindre
la pomme telle qu'elle est
mais
elle ne se laisse pas faire
la pomme
elle a son mot à dire
et plusieurs tours dans son sac de pomme
la pomme
et la voilà qui tourne
dans son assiette réelle
sournoisement sur elle-même
doucement sans bouger
et comme un duc de Guise qui se déguise en bec de
    gaz
parce qu'on veut malgré lui lui tirer le portrait
la pomme se déguise en beau fruit déguisé
et c'est alors
que le peintre de la réalité
commence à réaliser
que toutes les apparences de la pomme sont contre lui

et

comme le malheureux indigent

comme le pauvre nécessiteux qui se trouve soudain à
    la merci de n'importe quelle association bienfai-
    sante et charitable et redoutable de bienfaisance de
    charité et de redoutabilité

le malheureux peintre de la réalité

se trouve soudain alors être la triste proie

d'une innombrable foule d'associations d'idées

Et la pomme en tournant évoque le pommier

le Paradis terrestre et Ève et puis Adam[153]

l'arrosoir l'espalier Parmentier l'escalier[154]

le Canada les Hespérides la Normandie la Reinette et
    l'Api[155]

le serpent du Jeu de Paume le serment du Jus de
    Pomme

et le péché originel

et les origines de l'art

et la Suisse avec Guillaume Tell

et même Isaac Newton[156]

plusieurs fois primé à l'Exposition de la Gravitation
    Universelle

et le peintre étourdi perd de vue son modèle

et s'endort

C'est alors que Picasso

qui passait par là comme il passe partout

chaque jour comme chez lui

voit la pomme et l'assiette et le peintre endormi

Quelle idée de peindre une pomme

dit Picasso

et Picasso mange la pomme

et la pomme lui dit Merci

et Picasso casse l'assiette

et s'en va en souriant

et le peintre arraché à ses songes

244

comme une dent
se retrouve tout seul devant sa toile inachevée
avec au beau milieu de sa vaisselle brisée
les terrifiants pépins de la réalité.

LANTERNE MAGIQUE DE PICASSO

Tous les yeux d'une femme joués sur le même tableau
Les traits de l'être aimé traqué par le destin sous la
 fleur immobile d'un sordide papier peint
L'herbe blanche du meurtre dans une forêt de chaises
Un mendiant de carton éventré sur une table de
 marbre
Les cendres d'un cigare sur le quai d'une gare
Le portrait d'un portrait
Le mystère d'un enfant
La splendeur indéniable d'un buffet de cuisine
La beauté immédiate d'un chiffon dans le vent
La folle terreur du piège dans un regard d'oiseau
L'absurde hennissement d'un cheval décousu
La musique impossible des mules à grelots
Le taureau mis à mort couronné de chapeaux
La jambe jamais pareille d'une rousse endormie et la
 très grande oreille de ses moindres soucis
Le mouvement perpétuel attrapé à la main
L'immense statue de pierre d'un grain de sel marin
La joie de chaque jour et l'incertitude de mourir et le
 fer de l'amour dans la plaie d'un sourire
La plus lointaine étoile du plus humble des chiens
Et salé sur une vitre le tendre goût du pain
La ligne de chance perdue et retrouvée brisée et
 redressée parée des haillons bleus de la nécessité

L'étourdissante apparition d'un raisin de Malaga sur
  un gâteau de riz
Un homme dans un bouge assommant à coups de
  rouge le mal du pays
Et la lueur aveuglante d'un paquet de bougies
Une fenêtre sur la mer ouverte comme une huître
Le sabot d'un cheval le pied nu d'une ombrelle
La grâce incomparable d'une tourterelle toute seule
  dans une maison très froide
Le poids mort d'une pendule et ses moments perdus
Le soleil somnambule qui réveille en sursaut au milieu
  de la nuit la Beauté somnolente et soudain éblouie
  qui jette sur ses épaules le manteau de la cheminée
  et l'entraîne avec lui dans le noir de fumée mas-
  quée de blanc d'Espagne et vêtue de papiers collés
Et tant de choses encore
Une guitare de bois vert berçant l'enfance de l'art
Un ticket de chemin de fer avec tous ses bagages
La main qui dépayse un visage qui dévisage un pay-
  sage
L'écureuil caressant d'une fille neuve et nue
Splendide souriante heureuse et impudique
Surgissant à l'improviste d'un casier à bouteilles ou
  d'un casier à musique comme une panoplie de
  plantes vertes vivaces et phalliques
Surgissant elle aussi à l'improviste du tronc pourris-
  sant
D'un palmier académique nostalgique et désespéré-
  ment vieux beau comme l'antique
Et les cloches à melon du matin brisées par le cri d'un
  journal du soir
Les terrifiantes pinces d'un crabe émergeant des des-
  sous d'un panier
La dernière fleur d'un arbre avec les deux gouttes
  d'eau du condamné
Et la mariée trop belle seule et abandonnée sur le

divan cramoisi de la jalousie par la blême frayeur
de ses premiers maris
      puis dans un jardin d'hiver sur le dossier d'un trône
une chatte en émoi et la moustache de sa queue
sous les narines d'un roi
La chaux vive d'un regard dans le visage de pierre
d'une vieille femme assise près d'un panier d'osier
Et crispées sur le minium tout frais du garde-fou d'un
phare tout blanc les deux mains bleues de froid
d'un Arlequin errant qui regarde la mer et ses
grands chevaux dormant dans le soleil couchant et
puis qui se réveillent les naseaux écumants les yeux
phosphorescents affolés par la lueur du phare et ses
épouvantables feux tournants
Et l'alouette toute rôtie dans la bouche d'un mendiant
Une jeune infirme folle dans un jardin public qui souriant d'un sourire déchiré mécanique en berçant
dans ses bras un enfant léthargique trace dans la
poussière de son pied sale et nu la silhouette du
père et ses profils perdus et présente aux passants
son nouveau-né en loques Regardez donc mon
beau regardez donc ma belle ma merveille des
merveilles mon enfant naturel d'un côté c'est un
garçon et de l'autre c'est une fille tous les matins il
pleure mais tous les soirs je la console et je les
remonte comme une pendule
Et aussi le gardien du square fasciné par le crépuscule
La vie d'une araignée suspendue à un fil
L'insomnie d'une poupée au balancier cassé et ses
grands yeux ouverts à tout jamais
La mort d'un cheval blanc la jeunesse d'un moineau
La porte d'une école rue du Pont-de-Lodi[157].
Et les Grands Augustins empalés sur la grille d'une
maison dans une petite rue dont ils portent le nom
Tous les pêcheurs d'Antibes[188] autour d'un seul poisson
La violence d'un œuf la détresse d'un soldat

La présence obsédante d'une clef cachée sous un paillasson

Et la ligne de mire et la ligne de mort dans la main autoritaire et potelée d'un simulacre d'homme obèse et délirant camouflant soigneusement derrière les bannières exemplaires et les crucifix gammés drapés et dressés spectaculairement sur le grand balcon mortuaire du musée des horreurs et des honneurs de la guerre la ridicule statue vivante de ses petites jambes courtes et de son buste long mais ne parvenant pas malgré son beau sourire de Caudillo[159] grandiose et magnanime à cacher les irrémédiables et pitoyables signes de la peur de l'ennui de la haine et de la connerie gravés sur son masque de viande fauve et blême comme les graffiti obscènes de la mégalomanie gravés par les lamentables tortionnaires de l'ordre nouveau dans les urinoirs de la nuit.

Et derrière lui dans le charnier d'une valise diplomatique entrouverte le cadavre tout simple d'un paysan pauvre assailli dans son champ à coups de lingots d'or par d'impeccables hommes d'argent

Et tout à côté sur une table une grenade ouverte avec toute une ville dedans

Et toute la douleur de cette ville rasée et saignée à blanc

Et toute la garde civile caracolant tout autour d'une civière

Où rêve encore un gitan mort

Et toute la colère d'un peuple amoureux travailleur insouciant et charmant qui soudain éclate brusquement comme le cri rouge d'un coq égorgé publiquement

Et le spectre solaire des hommes aux bas salaires qui surgit tout sanglant des sanglantes entrailles d'une maison ouvrière tenant à bout de bras la pauvre

lueur de la misère la lampe sanglante de Guernica
et découvre au grand jour de sa lumière crue et
vraie les épouvantables fausses teintes d'un monde
décoloré usé jusqu'à la corde vidé jusqu'à la moelle
D'un monde mort sur pied
D'un monde condamné
Et déjà oublié
Noyé carbonisé aux mille feux de l'eau courante du
ruisseau populaire
Où le sang populaire court inlassablement
Intarissablement
Dans les artères et dans les veines de la terre et dans
les artères et dans les veines de ses véritables
enfants
Et le visage de n'importe lequel de ses enfants des-
siné simplement sur une feuille de papier blanc
Le visage d'André Breton le visage de Paul Éluard
Le visage d'un charretier aperçu dans la rue
La lueur du clin d'œil d'un marchand de mouron
Le sourire épanoui d'un sculpteur de marrons
Et sculpté dans le plâtre un mouton de plâtre frisé
bêlant de vérité dans la main d'un berger de plâtre
debout près d'un fer à repasser
À côté d'une boîte à cigares vide
À côte d'un crayon oublié
À côté des Métamorphoses d'Ovide
À côté d'un lacet de soulier
À côté d'un fauteuil aux jambes coupées par la fatigue
des années
À côté d'un bouton de porte
À côté d'une nature morte où les rêves enfantins
d'une femme de ménage agonisent sur la pierre
froide d'un évier comme des poissons suffoquant et
crevant sur des galets brûlants
Et la maison remuée de fond en comble par les
pauvres cris de poisson mort de la femme de

ménage désespérée tout à coup qui fait naufrage
soulevée par les lames de fond du parquet et va
s'échouer lamentablement sur les bords de la Seine
dans les jardins du Vert-Galant
Et là désemparée elle s'assoit sur le banc
Et elle fait ses comptes
Et elle ne se voit pas blanche pourrie par les souve-
nirs et fauchée comme les blés
Une seule pièce lui reste une chambre à coucher
Et comme elle va la jouer à pile ou face avec le vain
espoir de gagner un peu de temps
Un grand orage éclate dans la glace à trois faces
Avec toutes les flammes de la joie de vivre
Tous les éclairs de la chaleur animale
Toutes les lueurs de la bonne humeur
Et donnant le coup de grâce à la maison désorientée
Incendie les rideaux de la chambre à coucher
Et roulant en boule de feu les draps au pied du lit
Découvre en souriant devant le monde entier
Le puzzle de l'amour avec tous ses morceaux
Tous ses morceaux choisis choisis par Picasso
Un amant sa maîtresse et ses jambes à son cou
Et les yeux sur les fesses les mains un peu partout
Les pieds levés au ciel et les seins sens dessus dessous
Les deux corps enlacés échangés caressés
L'amour décapité délivré et ravi
La tête abandonnée roulant sur le tapis
Les idées délaissées oubliées égarées
Mises hors d'état de nuire par la joie et le plaisir
Les idées en colère bafouées par l'amour en couleur
Les idées terrées et atterrées comme les pauvres rats
de la mort sentant venir le bouleversant naufrage
de l'Amour
Les idées remises à leur place à la porte de la
chambre à côté du pain à côté des souliers
Les idées calcinées escamotées volatilisées désidéali-
sées

Les idées pétrifiées devant la merveilleuse indifférence d'un monde passionné
D'un monde retrouvé
D'un monde indiscutable et inexpliqué
D'un monde sans savoir-vivre mais plein de joie de vivre
D'un monde sobre et ivre
D'un monde triste et gai
Tendre et cruel
Réel et surréel
Terrifiant et marrant
Nocturne et diurne
Solite et insolite
Beau comme tout.

1944.

TABLE DES MATIÈRES

TENTATIVE DE DESCRIPTION D'UN DÎNER DE
    TÊTES À PARIS-FRANCE (paru dans « Com-
    merce » en 1931).   7
HISTOIRE DU CHEVAL.   19
LA PÊCHE À LA BALEINE.   22
LA BELLE SAISON.   25
ALICANTE.   26
SOUVENIRS DE FAMILLE OU L'ANGE GARDE-
    CHIOURME (paru dans « Bifur » en 1930).   27
J'EN AI VU PLUSIEURS...   41
POUR TOI MON AMOUR.   43
LES GRANDES INVENTIONS.   44
ÉVÉNEMENTS (paru dans « Les Cahiers G.L.M. » en
    1937).   48
L'ACCENT GRAVE.   58
PATER NOSTER.   60
RUE DE SEINE.   62
LE CANCRE.   65
FLEURS ET COURONNES.   66
LE RETOUR AU PAYS.   69
LE CONCERT N'A PAS ÉTÉ RÉUSSI.   71
LE TEMPS DES NOYAUX.   73

CHANSON DES ESCARGOTS QUI VONT À L'ENTER-
    REMENT. 77
RIVIERA. 79
LA GRASSE MATINÉE. 82
DANS MA MAISON. 85
CHASSE À L'ENFANT. 88
FAMILIALE. 90
LE PAYSAGE CHANGEUR. 92
AUX CHAMPS... 96
L'EFFORT HUMAIN. 99
JE SUIS COMME JE SUIS. 102
CHANSON DANS LE SANG. 104
LA LESSIVE. 107
LA CROSSE EN L'AIR (paru dans « Soutes » en 1936). 111
CET AMOUR. 142
L'ORGUE DE BARBARIE 145
PAGE D'ÉCRITURE. 148
DÉJEUNER DU MATIN. 150
FILLE D'ACIER. 152
LES OISEAUX DU SOUCI. 153
LE DÉSESPOIR EST ASSIS SUR UN BANC. 154
CHANSON DE L'OISELEUR. 156
POUR FAIRE LE PORTRAIT D'UN OISEAU. 157
SABLES MOUVANTS. 159
PRESQUE. 160
LE DROIT CHEMIN. 161
LE GRAND HOMME. 162
LA BROUETTE OU LES GRANDES INVENTIONS. 163
LA CÈNE. 164
LES BELLES FAMILLES. 165
L'ÉCOLE DES BEAUX-ARTS. 166
ÉPIPHANIE. 167
ÉCRITURES SAINTES. 169

LA BATTEUSE.   174
LE MIROIR BRISÉ.   176
QUARTIER LIBRE.   177
L'ORDRE NOUVEAU.   178
AU HASARD DES OISEAUX.   180
VOUS ALLEZ VOIR CE QUE VOUS ALLEZ VOIR.   182
IMMENSE ET ROUGE.   183
CHANSON.   184
COMPOSITION FRANÇAISE.   185
L'ÉCLIPSE.   186
CHANSON DU GEÔLIER.   187
LE CHEVAL ROUGE.   189
LES PARIS STUPIDES.   190
PREMIER JOUR.   191
LE MESSAGE.   192
FÊTE FORAINE.   193
CHEZ LA FLEURISTE.   195
L'ÉPOPÉE.   197
LE SULTAN.   198
ET LA FÊTE CONTINUE.   200
COMPLAINTE DE VINCENT.   201
DIMANCHE.   203
LE JARDIN.   204
L'AUTOMNE.   205
PARIS AT NIGHT.   206
LE BOUQUET.   207
BARBARA.   208
INVENTAIRE.   210
LA RUE DE BUCI MAINTENANT...   213
LA MORALE DE L'HISTOIRE.   218
LA GLOIRE.   221
IL NE FAUT PAS...   222
CONVERSATION.   223

                                                257

OSIRIS OU LA FUITE EN ÉGYPTE.   224

LE DISCOURS SUR LA PAIX.   226

LE CONTRÔLEUR.   227

SALUT À L'OISEAU.   229

LE TEMPS PERDU.   233

L'AMIRAL.   234

LE COMBAT AVEC L'ANGE.   235

PLACE DU CARROUSEL.   236

CORTÈGE.   238

NOCES ET BANQUETS.   240

PROMENADE DE PICASSO.   243

LANTERNE MAGIQUE DE PICASSO.   246

(Ces deux derniers poèmes ont paru dans
« Les Cahiers d'Art » en 1944.)

NOTES

Les notes suivantes éclairent les difficultés qu'un bon dictionnaire usuel ne résout pas toujours.

1 *(p. 7). Ceux qui pieusement :* cf. Victor Hugo (« Hymne aux morts de juillet », 1831. *Les Chants du crépuscule*).

> *Ceux qui pieusement sont morts pour la patrie*
> *Ont droit qu'à leur cercueil la foule vienne et prie*

2 *(p. 7). Les honneurs du pied :* à la fin d'une chasse à courre, présentation d'un pied de l'animal tué à une personne qu'on veut honorer.

3 *(p. 8). Baïonnette... on :* ordre donné aux soldats de fixer la baïonnette au canon du fusil. Les gradés ne se préoccupent pas d'une diction parfaite.

4 *(p. 8). Flottent et ne sombrent pas :* « Flotte mais ne sombre pas » (*Fluctuat nec mergitur*) est la devise de la ville de Paris.

5 *(p. 8). Le Pirée pour un homme :* dans la fable de La Fontaine « Le Singe et le Dauphin », le singe trahit son ignorance en prenant le nom du port grec du Pirée pour celui d'une personne.

6 *(p. 8). Leurs ailes de géants empêchent de voler :* cf. « L'albatros » de Baudelaire (*Les Fleurs du mal*) :

> *Ses ailes de géant l'empêchent de marcher.*

7 *(p. 8). Qui mamellent de la France :* allusion à une phrase attribuée à Sully, ministre d'Henri IV, et souvent citée autrefois à l'école primaire : « Labourage et pâturage sont les deux mamelles de la France. »

8 *(p. 8). Courent, volent et nous vengent :* citation du *Cid* de Corneille :

> *... Va, cours, vole, et nous venge* (acte I, scène v).

9 *(p. 8). Animaux malades de la tête* : allusion ironique à la fable de La Fontaine « Les Animaux malades de la Peste ».

10 *(p. 9). Soleilland* : criminel qui, au début du siècle, assassina une petite fille.

11 *(p. 9). « C'était simple mais il fallait y penser »* : phrase attribuée à Colomb. Il l'aurait prononcée après avoir montré qu'on pouvait faire tenir droit un œuf en cassant tout simplement une extrémité sur une table.

12 *(p. 9). Véritables larmes* : l'expression « larmes de crocodile » évoque un chagrin hypocritement feint.

13 *(p. 10). Dey d'Alger* : allusion au coup de chasse-mouches donné par le dey Hussein au consul de France en 1827. La tradition scolaire en faisait la cause de la conquête de l'Algérie, ainsi légitimée.

14 *(p. 10). Pontet-Canet* : vin de Bordeaux réputé.

15 *(p. 12). Décapité un serrurier* : Louis XVI aimait pratiquer la serrurerie. Mais Prévert fait aussi allusion à la réaction des soldats après le supplice de Jeanne d'Arc : « Nous sommes perdus, nous avons brûlé une sainte ! »

16 *(p. 12). Les bourgeois de Calais* : pendant la guerre de Cent Ans six bourgeois de la ville de Calais, assiégée par les Anglais, se livrèrent en otages en chemise, pieds nus et la corde au cou, offrant leur vie pour que la ville soit épargnée.

17 *(p. 12). Caveau Caucasien* : cabaret parisien.

18 *(p. 13). Chourineur* : dans le roman d'Eugène Sue *Les mystères de Paris* (1843). Le héros, Rodolphe, rencontre un personnage surnommé le Chourineur (en argot : un adepte du couteau), dans un tapis-franc (cabaret où se réunissent des voleurs).

19 *(p. 13). Cliquette* : au Moyen Age les lépreux devaient agiter une cliquette (= une crécelle) pour signaler leur présence.

20 *(p. 13). Le bon Pasteur* : métaphore traditionnelle pour désigner Jésus-Christ.

21 *(p. 13). La Villette* : les abattoirs de Paris étaient alors situés dans ce quartier.

22 *(p. 14). Lit-cage* : lit pliant métallique.

23 *(p. 14). Quelques-uns des vôtres* : cf. la fable de La Fontaine « Le Loup et l'Agneau » :

> — *Si ce n'est toi, c'est donc ton frère.*
> — *Je n'en ai point. — C'est donc quelqu'un des tiens.*

24 *(p. 15). Le mauvais café* : du café empoisonné.

25 *(p. 15). Le Six Mars à Bruxelles* : en mars 1931 se déroula à Bruxelles une cérémonie en l'honneur des pigeons qui servirent de messagers pendant la Grande Guerre. Un monument au Pigeon-Soldat avait été érigé, dans le même esprit que le monument au Soldat Inconnu (cf. « Jeune et veau marin »).

26 *(p. 15). Carpa-la-Juive :* si Brive-la-Gaillarde existe, Rosa-la-Rose renvoie au début de la première déclinaison latine — donc au premier contact d'un collégien avec le latin — et Carpa-la-Juive à une recette de cuisine (carpe à la juive).

27 *(p. 16). Petit caporal :* surnom donné par les soldats à Napoléon Ier. En décembre 1800, Bonaparte échappa à un attentat à l'explosif (machine infernale), rue Saint-Nicaise à Paris.

28 *(p. 17). Binocard :* forme de « binoclard » : qui porte des lunettes (péjoratif).

29 *(p. 17). Bocard :* maison de prostitution. Syn : boxon (p. 124).

30 *(p. 18). L'Arc :* l'arc de Triomphe, place de l'Étoile (aujourd'hui place du Général-de-Gaulle), à Paris.

31 *(p. 18). Bleu horizon :* couleur de l'uniforme de l'armée française à cette époque.

32 *(p. 18). Ramasser l'épingle :* alors qu'il était jeune et sans travail, un futur milliardaire aurait séduit un employeur en ramassant une épingle sur le sol, prouvant par là son sens de l'économie. Le ramasseur d'épingle n'est pas toujours le même dans les différentes versions de l'anecdote.

33 *(p. 19). Chevaux tués sous lui :* dans l'acception normale, signifierait que ses montures ont été tuées pendant qu'il les chevauchait en plein combat.

34 *(p. 23). Motogodille :* moteur amovible pouvant se monter à l'arrière d'une embarcation légère.

35 *(p. 28). Revanche :* thème majeur après la défaite française de 1871 devant la Prusse. La Revanche permettra de laver l'affront et de réintégrer l'Alsace-Lorraine à la France.

36 *(p. 28). Pantalons :* culotte à jambes, sous-vêtement féminin.

37 *(p. 29). Jésus-Christ tombe pour la première fois :* sur le chemin de la crucifixion.

38 *(p. 29). Le pélican lassé :* citation de Musset (« La nuit de mai ») : « Lorsque le pélican, lassé d'un long voyage ». Dans ce poème le pélican est une allégorie de l'artiste qui se sacrifie pour son œuvre et pour autrui.

39 *(p. 29). Le général Dourakine :* titre et personnage d'un roman pour enfants de la comtesse de Ségur (1866).

40 *(p. 29). Le Petit Chose :* titre et personnage d'un roman d'Alphonse Daudet (1868).

41 *(p. 29). Le Fruit de nos entrailles :* passage de la prière *Je vous salue Marie.*

42 *(p. 29). Le renard, les raisins :* Allusion à la fable de La Fontaine « Le Renard et les Raisins ».

43 *(p. 29). Clanche [...] de Russie :* jeux de mots sur Blanche de Castille, l'isthme de Panama et la retraite de Russie.

44 *(p. 29). Il ouvre un large bec [...] l'irréparable outrage :* cf. La Fontaine, « Le Corbeau et le Renard » :

Il ouvre un large bec, laisse tomber sa proie.

et Racine, *Athalie* (acte VII, scène v) :

Pour réparer des ans l'irréparable outrage

45 *(p. 29)*. *Le nez de Cléopâtre dans la vessie de Cromwell* : cf. Pascal, *Les Pensées* : « Le nez de Cléopâtre : s'il eût été plus court, toute la face de la terre aurait changé. » et : « Cromwell allait ravager toute la chrétienté ; la famille royale était perdue, et la sienne à jamais puissante, sans un grain de sable qui se mit dans son uretère. »

46 *(p. 29)*. *Roséole* : pour « rosette » (insigne des officiers de l'ordre de la Légion d'honneur). La roséole est un symptôme de maladies infectieuses (notamment de la syphilis).

47 *(p. 29)*. *Homme d'autrefois* : ici, Jésus-Christ.

48 *(p. 36)*. *Sir âne* : déformation de sœur Anne, personnage du conte de Perrault *Barbe-Bleue*.

49 *(p. 38)*. *Salés* : enfants (populaire). L'expression habituelle est « petits salés ».

50 *(p. 38)*. *Juteux* : adjudant (argot).

51 *(p. 39)*. *Ils m'ont sapé dur* : ils m'ont infligé une lourde condamnation (argot).

52 *(p. 39)*. *Girons* : jeunes homosexuels (argot).

53 *(p. 46)*. *La preuve par l'œuf* : jeu de mots sur « la preuve par neuf » (calcul permettant de vérifier l'exactitude d'une multiplication).

54 *(p. 52)*. *Le roseau pensant* : clin d'œil à Pascal : « L'homme n'est qu'un roseau, le plus faible de la nature ; mais c'est un roseau pensant » (*Les Pensées*).

55 *(p. 53)*. *Rue des derniers des Mohicans* : rue imaginaire. *Le dernier des Mohicans* est un roman de l'Américain Fenimore Cooper (1826).

56 *(p. 58)*. *Hamlet* : héros éponyme d'une tragédie célèbre de Shakespeare (1600). Le texte de Prévert est construit à partir du vers prononcé par Hamlet hanté par le suicide :

Être ou ne pas être, telle est la question

(acte III, scène I).

57 *(p. 60)*. *Avec ses mystères de New York* : *Les mystères de New York*, roman policier d'A.B. Reeve, mais surtout film à épisodes de l'époque du cinéma muet.

58 *(p. 60)*. *Ses mystères de Paris* : *Les mystères de Paris* est un roman populaire d'Eugène Sue (1843).

59 *(p. 61)*. *Paille* : défaut dans une pièce de métal.

60 *(p. 73)*. *Le temps des cerises* : titre d'une chanson (1866) qui

deviendra le signe de ralliement des anciens partisans de la Commune de Paris (1871).

61 *(p. 74). La revue :* grand défilé militaire.

62 *(p. 74). La Pépinière :* la caserne de la rue de la Pépinière, proche de la gare Saint-Lazare.

63 *(p. 82). Potin :* magasin d'alimentation à succursales multiples, récemment disparu.

64 *(p. 88). Marianne Oswald :* chanteuse, elle interpréta ce texte mis en musique par Joseph Kosma.

65 *(p. 93). Austerlitz :* Napoléon y remporta une grande victoire en décembre 1805. Le soleil qui brillait pendant la bataille symbolise la grandeur napoléonienne (cf. p. 212).

66 *(p. 96). Aux Champs :* sonnerie de trompette pour rendre hommage aux soldats tombés au combat (au champ d'honneur).

67 *(p. 97). Billet de faveur :* billet d'entrée gratuit pour un spectacle.

68 *(p. 111). La crosse :* bâton qui symbolise le pouvoir d'un évêque. Mais « crosse en l'air » (il s'agit bien sûr de la crosse du fusil) fait évidemment penser à un passage du chant révolutionnaire *L'Internationale*, devenu un slogan antimilitariste :

> *Appliquons la grève aux armées*
> *Crosse en l'air! et rompons les rangs!*

69 *(p. 114). Rome l'unique objet de mon ressentiment :* collage d'un vers de Corneille (*Horace*, acte IV, sc. v).

70 *(p. 115). Taulier :* tenancier d'un hôtel, en général louche (terme populaire).

71 *(p. 116). Tous les ruisseaux mènent à Rome :* citation modifiée du proverbe « Tous les chemins mènent à Rome ».

72 *(p. 122). Turin-cassis :* c'est le nom d'un apéritif.

73 *(p. 123). T.C.R.P. :* Société des Transports en Commun de la Région parisienne. Ce sigle a disparu en 1942. Correspond à l'actuelle R.A.T.P.

74 *(p. 123). Oviedo :* en octobre 1934, une insurrection ouvrière éclate dans la province des Asturies, dont Oviedo est la capitale. La répression, menée par le général Franco à la demande du gouvernement républicain, sera sanglante, non moins que la bataille qui se déroula dans la même ville au début de la guerre civile, en 1936.

75 *(p. 124). Poulo Condor :* archipel d'Indochine où se trouvait un pénitencier.

76 *(p. 125). Antinéa :* personnage du roman de Pierre Benoît *L'Atlantide* (1919).

77 *(p. 125). Léon Bailby :* patron de presse, il défendait des idées nationalistes qui ne pouvaient qu'être antipathiques à Prévert.

78 *(p. 125)*. *Antinoüs :* favori de l'empereur romain Hadrien.

79 *(p. 125)*. *Cora Laparcerie :* actrice, directrice de théâtre, elle était liée au courant nationaliste et catholique.

80 *(p. 125)*. *Deibler :* bourreau, il actionne la guillotine (en argot, « la veuve ») lors des exécutions capitales.

81 *(p. 126)*. *Quenelle de Jouvenel Bertrand :* désigne Bertrand de Jouvenel, écrivain qui manifesta des sympathies pour le fascisme (1903-1987).

82 *(p. 126)*. *Léon Vautel :* journaliste, écrivain médiocre aujourd'hui oublié, Clément (non Léon) Vautel se distinguait par ses positions conservatrices.

83 *(p. 126)*. *Jab de la Bretelle :* désigne Jacques de Lacretelle. Sous Claude Führer, Clément Daudet, Brioche la Rochelle, on lira successivement Claude Farrère, Léon (non Clément, et encore moins Alphonse !) Daudet, Drieu la Rochelle.

84 *(p. 126)*. *Des Maurras et des Vorace de Carbuccia :* dans *Horace* s'opposent les familles des Horace et des Curiace. Au célèbre idéologue royaliste Maurras, Prévert joint Carbuccia, Horace de son prénom, qui fonda en 1928 le journal d'extrême droite *Gringoire*.

85 *(p. 126)*. *Gallus :* pseudonyme d'un journaliste qui signait ainsi des articles nationalistes.

86 *(p. 126)*. *Des Henribérot :* Henri Béraud.

87 *(p. 126)*. *Kerilis :* Henri de Kérillis, journaliste influent de la droite nationaliste.

88 *(p. 126)*. *Colonoque de la rondelle :* le colonel de La Rocque dirigea plusieurs organisations patriotiques qui se distinguaient par leur antiparlementarisme actif.

89 *(p. 129)*. *Bandera :* signifie « drapeau » en espagnol et aussi « compagnie de la Légion étrangère », le Tercio, qui combattit pendant la guerre civile du côté franquiste.

90 *(p. 130)*. *Saint Christophe :* saint légendaire, il est le protecteur des voyageurs, notamment des automobilistes.

91 *(p. 131)*. *Quiépo micro de Llano :* renvoie à Queipo de Llano, général franquiste qui, maître de Séville, fit fusiller les pilotes d'avion restés fidèles au gouvernement légal, et prononça de violents discours à la radio.

92 *(p. 133)*. *Casse le mariage de sa fille :* le divorce est interdit par l'Église catholique ; cependant le pape a la possibilité d'annuler un mariage pour des raisons exceptionnelles.

93 *(p. 133)*. *Petits flacons :* les Borgia ont une solide réputation d'empoisonneurs.

94 *(p. 133)*. *Sed libera nos a malo :* « mais délivre-nous du mal ». Passage de la prière en latin le *Credo*.

95 *(p. 148)*. *Oiseau-lyre :* autre nom du ménure, oiseau d'Australie à la queue en éventail.

96 *(p. 157). Elsa Henriquez* cette artiste illustra plusieurs textes de Prévert.

97 *(p. 160). Rosa Bonheur :* peintre et sculpteur animalier (1822-1899).

98 *(p. 164). La Cène :* dernier repas que Jésus prit avec ses disciples. Cet épisode des Évangiles a inspiré de nombreux peintres, notamment Léonard de Vinci.

99 *(p. 166). Fleur japonaise :* « Et comme dans ce jeu où les Japonais s'amusent à tremper dans un bol de porcelaine rempli d'eau de petits morceaux de papier jusque-là indistincts qui, à peine y sont-ils plongés s'étirent, se contournent, se colorent, se différencient, deviennent des fleurs, des maisons, des personnages [...] » Marcel Proust, *Du côté de chez Swann.*

100 *(p. 169). Paul et Virginie :* personnages éponymes du célèbre roman de Bernardin de Saint-Pierre (1788).

101 *(p. 169). L'oreille du monde :* avoir l'oreille de quelqu'un signifie avoir sa confiance.

102 *(p. 170). Sous la charnière :* sous la dent (argot).

103 *(p. 174). Batteuse :* machine servant à dégarnir de leurs grains les épis des plantes céréalières.

104 *(p. 175). Pousser la romance :* chanter une chanson sentimentale (ironique).

105 *(p. 178). Ordre nouveau :* allusion au nouveau régime politique instauré par le maréchal Pétain en 1940, en rupture avec les principes de la République.

106 *(p. 178). Vieillard blême :* Pétain.

107 *(p. 179). Lily Marlène :* chanson allemande qui eut un grand succès pendant la Seconde Guerre mondiale, dans les deux camps opposés d'ailleurs.

108 *(p. 182). Un homme barbu marche sur l'eau :* Jésus, qui marcha sur la mer pour rejoindre la barque de ses disciples (Évangile de Matthieu, XIV, 22-34).

109 *(p. 183). Grand Palais :* construit à Paris en 1900, il est essentiellement occupé par des expositions,

110 *(p. 186). Chaise percée :* siège percé d'une ouverture sous laquelle est placé un pot de chambre, utilisé au XVIIᵉ siècle.

111 *(p. 190). Blaise Pascal :* savant et penseur, Pascal (1623-1662) voulut dans *Les Pensées* convaincre les athées et les sceptiques que seul le christianisme pouvait apporter une réponse aux contradictions de la condition humaine. Parmi d'autres arguments, celui du « pari » consiste à montrer aux incroyants qu'il est logique de parier sur l'existence de Dieu, car la « mise » — se comporter en bon chrétien — est négligeable en comparaison du gain possible — la vie éternelle.

112 *(p. 198). Salamandragore :* nom de pays imaginaire forgé à

partir de « salamandre », et de « mandragore », en jouant sur la simi-
litude avec des mots qui évoquent l'Inde ou le Pakistan comme
Lahore, Tagore.

113 *(p. 200). Le zinc :* le comptoir (en zinc) d'un café.

114 *(p. 201). Le linge :* le peintre hollandais Vincent Van Gogh
(1853-1890), après deux ans passés à Paris, s'installe en Arles en
1888. En décembre, saisi de folie, il se coupe une partie de l'oreille
gauche et va l'offrir, enveloppée dans du papier journal, à une pros-
tituée.

115 *(p. 208). Rue de Siam :* la rue principale de Brest. Son nom lui
avait été donné en 1686, à l'occasion de la visite d'une ambassade
siamoise.

116 *(p. 209). Dont il ne reste rien :* pendant la Seconde Guerre
mondiale Brest subit cent soixante-cinq bombardements. Du 7 août
au 18 septembre 1944, lors des combats de la Libération, le centre
de la ville fut totalement détruit.

117 *(p. 211). Rein flottant :* rein descendu à la suite d'un relâche-
ment des tissus.

118 *(p. 211). Deux chèvres de Monsieur Seguin :* allusion au conte
d'Alphonse Daudet « La Chèvre de Monsieur Seguin » (*Lettres de
mon moulin*). Monsieur Seguin eut bien plusieurs chèvres, mais
l'héroïne du conte est unique.

119 *(p. 211). Un talon Louis XV :* très haut talon de chaussure de
femme.

120 *(p. 211 et p. 238). Victoire de Samothrace :* célèbre statue
(musée du Louvre). Elle représente une femme ailée, allégorie de la
divinité de la Victoire. Datée du IIIe ou IIe siècle avant J.-C., elle fut
découverte dans l'île grecque de Samothrace.

121 *(p. 211). Cheval entier :* qui n'est pas châtré.

122 *(p. 211). Mois de Marie :* mois consacré à la Vierge Marie dans
la religion catholique.

123 *(p. 212). Pardon :* fête religieuse bretonne (cf. « un calvaire de
pierre »).

124 *(p. 212). Deux sœurs latines :* expression consacrée pour désigner la France et l'Italie.

125 *(p. 213). Rue de Buci :* petite rue parisienne très animée,
proche de la rue de Seine.

126 *(p. 213). L'autre guerre finie :* la Première Guerre mondiale
(1914-1918). Cf. p. 214 « tout a encore recommencé » : allusion à la
Seconde Guerre mondiale.

127 *(p. 214). La pesée :* l'habitude d'acheter le pain au poids était
courante jusqu'à cette époque. La pesée était le morceau de pain
ajouté par le boulanger quand le poids n'atteignait pas la quantité
demandée par le client.

128 *(p. 214). Sanguines :* oranges à la pulpe couleur de sang.

129 *(p. 215)*. *Portugaises :* variété d'huîtres.

130 *(p. 221)*. *Diadème d'épines :* référence à la couronne d'épines dont les soldats coiffèrent Jésus après sa condamnation.

131 *(p. 221)*. *Imitation :* allusion à l'ouvrage de spiritualité chrétienne *L'Imitation de Jésus-Christ* (xvᵉ siècle).

132 *(p. 221)*. *Le Kamasoutra :* traité d'érotisme de l'Inde ancienne.

133 *(p. 231)*. *Rue des Rosiers :* les artisans israélites étaient nombreux dans cette rue proche de la rue du Roi-de-Sicile et de la rue des Blancs-Manteaux, dans le quartier parisien du Marais. De Gros-Caillou à Innocents, les noms de rues qui précèdent renvoient à des quartiers différents.

134 *(p. 235)*. *Le combat avec l'ange :* dans la Bible (Genèse), Jacob lutte contre un ange, et au terme de ce combat mystérieux obtient la certitude de la bénédiction divine.

135 *(p. 235)*. *J.-B. Brunius :* ami de Prévert, membre du groupe Octobre.

136 *(p. 235)*. *L'éponge :* tenir compte de deux sens. 1 : quelques instants avant la mort du Christ, un de ses bourreaux lui tendit au bout d'un roseau une éponge imbibée de vinaigre. 2 : dans les matchs de boxe, le manager d'un boxeur peut jeter sur le ring une éponge ou une serviette, pour demander l'arrêt du combat.

137 *(p. 236)*. *Place du Carrousel :* située entre les jardins des Tuileries et le Louvre, cette place doit son nom au carrousel (spectacle équestre où des groupes de cavaliers exécutent des exercices) commandé en 1662 par Louis XIV.

138 *(p. 238)*. *Travailleurs [...] de la mer : Les Travailleurs de la mer* sont un roman de Victor Hugo (1866).

139 *(p. 238)*. *Hussard [...] de la mort :* cavalier de la garde de l'empereur de Prusse.

140 *(p. 238)*. *Dindon [...] (de la farce) :* la victime d'une situation, la dupe dans une intrigue.

141 *(p. 238)*. *(Pipe) d'écume :* pipe faite en silicate de magnésium, plus communément appelé écume ou écume de mer.

142 *(p. 238)*. *Un chiard :* un petit enfant (populaire).

143 *(p. 238)*. *Directeur (de conscience) :* prêtre, confesseur attitré d'un fidèle.

144 *(p. 238)*. *Petite sœur [...] de Saint-Vincent-de-Paul :* religieuse d'une congrégation fondée en 1633 par saint Vincent de Paul.

145 *(p. 239)*. *(Évêque) in partibus :* qui n'a pas la charge effective d'un diocèse.

146 *(p. 239)*. *Petit chanteur :* membre d'une chorale religieuse longtemps célèbre, formée de jeunes garçons, « Les petits chanteurs à la croix de bois ».

147 *(p. 239)*. *Le général :* désigne l'ecclésiastique qui dirige l'ordre des Jésuites.

148 *(p. 240). William Blake :* poète, peintre, graveur, Blake (1757-1827), en rupture violente avec tous les conformismes (cf. « Le Saint-Esprit de Contradiction »), eut une influence importante sur les symbolistes, puis les surréalistes. Il affirma son opposition radicale aux Églises, et sa sympathie pour la Révolution française.

149 *(p. 240). Drôles :* coquins amusants, mais peut-être redoutables (sens vieilli).

150 *(p. 240). Mariage du Ciel et de l'Enfer :* titre d'une œuvre de Blake (1790) qui fait partie de ses *Livres prophétiques.*

151 *(p. 242). « De même que la chenille [...] joies » :* citation du *Mariage du Ciel et de l'Enfer.*

152 *(p. 242). « C'est avec les pierres [...] les bordels » :* citation du *Mariage du Ciel et de l'Enfer.*

153 *(p. 244). Ève et puis Adam :* Adam et Ève furent chassés du paradis terrestre pour avoir goûté, malgré l'interdit divin, au fruit de l'arbre de la connaissance. C'est là le péché originel. Le mot latin pour fruit (à pépins ou noyaux) étant « pomum », on imagina que ce fruit était une pomme. Prévert joue aussi sur l'expression « pomme d'Adam », qui désigne un cartilage saillant du cou des hommes.

154 *(p. 244). Escalier :* la boule fixée en bas d'une rampe d'escalier s'appelle une pomme.

155 *(p. 244). L'Api :* comme la Reinette ou la Canada, variété de pomme.

156 *(p. 244). Isaac Newton :* la légende veut que Newton ait trouvé la loi de la gravitation universelle en recevant sur la tête une pomme tombée de l'arbre.

157 *(p. 248). Rue du Pont-de-Lodi :* rue du Ier arrondissement de Paris. Elle donne rue des Grands-Augustins, où en 1937 Picasso installa son atelier.

158 *(p. 248). Antibes :* Picasso y séjourna au château, devenu un musée Picasso.

159 *(p. 249). Caudillo :* chef ou guide en espagnol. Désigne Franco.

Si nécessaire un dictionnaire des noms propres donnera des renseignements sur : Laval, Gaston Doumergue, Claude Farrère, Jacques de Lacretelle, Léon Daudet, Drieu la Rochelle, Henri Béraud (p. 126), etc. sans négliger les Borgia (p. 133), Paul Éluard (p. 201), Parmentier, le serment du Jeu de Paume, Guillaume Tell (p. 244), Guernica, Ovide (p. 250) etc.
Êtes-vous sûr de connaître le sens de : Épiphanie (p. 167), Mater dolorosa (p. 211), un poumon d'acier (p. 211), un calvaire (p. 212), etc. ? Ne pas hésiter à consulter un dictionnaire.

■ Travail de groupe (solliciter l'aide du professeur d'arts plastiques.) *Lanterne magique de Picasso* recrée l'univers

pictural de Picasso. Certains passages se réfèrent à des œuvres précises.

■ **Repérer ces allusions.**

L'essentiel du poème renvoie à un climat, à des thèmes, voire à des techniques qui caractérisent telle ou telle période de la création de l'artiste.

■ **Trouver les références dans le poème à ces étapes de la création de Picasso.**

DOSSIER

par Michel Bigot et Bruno Vercier

Ce dossier pédagogique, qui s'adresse à la classe tout entière, professeur et élèves, n'est pas un commentaire complet et dogmatique de l'œuvre. Des informations et des analyses (en caractères maigres) y alternent avec des invitations à la réflexion et des consignes (en caractères gras) pour des travaux écrits ou oraux, individuels ou collectifs. Dans les deux sections principales — « Formes et langages » et « Thématique » —, l'analyse peut laisser une place plus grande à l'initiative et à la recherche du lecteur.

Pour faciliter la préparation du premier des travaux écrits proposés dans la section « Divers », on trouvera en marge le repère suivant : (POP)

Dans la totalité du dossier « Tentative de description d'un dîner de têtes à Paris-France » sera abrégé en « Tentative »

1. CONTEXTES

Repères chronologiques ■ Genèse ■ Place dans l'œuvre ■ Contexte historique ■ Rencontres

Un certain nombre des textes de *Paroles* sont datés : le premier de 1930, le dernier de 1944. Entre les deux, on rencontre 1936 (p. 106), 1942 (p. 217). Et la table des matières signale la date de la parution en revue de plusieurs autres textes : 1930, 1937, 1944. On le voit, il s'agit d'un recueil dont la composition s'étend sur une assez longue période et dont l'auteur a tenu à souligner les rapports avec l'Histoire : plusieurs de ces dates sont des dates « historiques ».

Il est donc important d'évoquer la biographie de Prévert jusqu'en 1949, date de la publication définitive de *Paroles* aux Éditions Gallimard ; on le fera en marquant les différentes étapes de cette carrière aux facettes multiples. Puis on situera l'auteur et son œuvre dans leur contexte historique aussi bien que dans le milieu littéraire et artistique dont il fut l'un des acteurs principaux.

Repères chronologiques

1900 Naissance à Neuilly-sur-Seine (4 février). Le père, André, issu d'un milieu catholique bien-pensant, est mal vu par sa famille pour son comportement non-conformiste, son amour du théâtre et sa mésalliance avec Suzanne, une fille pauvre qui sera une mère adorée.

1906 Naissance de Pierre, le frère cadet qui sera très proche de

Jacques. André perd sa situation à la Providence (Compagnie d'assurance parisienne) mais conserve sa superbe et son amour du théâtre. Graves ennuis d'argent, saisies, déménagements à répétition. La famille part pour Toulon. Au cours d'une promenade avec Jacques, le père tente de se jeter à l'eau. L'enfant le raisonne et le ramène à la maison.

1907 Retour à Paris. Le père va travailler pour le grand-père, « Auguste le sévère », et s'occupe d'assistance aux pauvres. L'enfant qui l'accompagne dans ses visites découvre la misère et l'envers de la Belle Époque. Jacques entre à l'école, qu'il n'aime guère.

1911 Jacques est baptisé à Saint-Sulpice.

1914 Il obtient son certificat d'études et quitte l'école.

1915 Il commence à gagner sa vie en faisant divers métiers, dont certains, dira-t-il, sont inavouables.

1916 Il travaille au Bon Marché.

1917 Le père est gérant de l'hebdomadaire théâtral *Le strapontin*. Jacques est emmené au commissariat lors d'un incident entre la police et des soldats contestataires, et passé à tabac.

1921 Service militaire près de Lunéville. Il rencontre Yves Tanguy, le futur peintre surréaliste. Jacques et un copain garçon boucher Roro sont envoyés à Istanbul. Il est nommé caporal.
Rencontre Marcel Duhamel, le futur fondateur de le Série noire.

1922 Prévert libéré, Roro se suicide, trahi par la femme qu'il aimait. Avec Tanguy, Prévert travaille six mois au *Courrier de la presse*; il est renvoyé pour fantaisie.

1923 Première visite à la librairie d'Adrienne Monnier. Avec Tanguy il découvre les *Chants de Maldoror*. Été en Bretagne à Locronan en compagnie de Tanguy, Duhamel, son frère Pierre, des amies. Ils y reviendront chaque été jusqu'en 1926.

1924 Rencontre un acteur, Maurice Touzé, et fait de la figuration dans *Les Grands*, film d'Henri Fescourt : c'est son premier contact professionnel avec le cinéma qu'il a fréquenté très tôt avec ses parents. Il s'installe avec Duhamel et Tanguy 54, rue du Château dans le XIVᵉ arrondissement.

1925 Tanguy commence à exposer. Jacques épouse Simone Dienne une amie d'enfance. Découverte de la revue *La révolution surréaliste* et de la peinture de De Chirico.

Rencontre de Desnos, Benjamin Péret, Louis Aragon et Soupault qui viennent rue du Château. Leiris y viendra un peu plus tard, puis Raymond Queneau. Rencontre Giacometti.

Prévert fait par eux la connaissance d'André Breton et fréquente les réunions du groupe surréaliste. Il invente le jeu du « cadavre exquis », inspiré de l'ancien jeu de société des « petits papiers ».

Jusqu'en 1929 Prévert participe aux différentes manifestations du groupe surréaliste, en signe les tracts, les textes collectifs, assiste aux séances (recherche sur la sexualité par exemple).

1927 Participe aux « scandales » organisés par les surréalistes. Signe un texte en faveur de Charles Chaplin ainsi que le manifeste de Queneau *Permettez...* contre un projet de statue de Rimbaud à Charleville.

1928 Premiers scénarios et arguments de ballets. Tensions entre le groupe de la rue du Château et le groupe d'André Breton.

1930 Prévert est un des signataires du pamphlet dirigé contre André Breton *Un cadavre*. C'est la rupture avec les surréalistes orthodoxes. Publication dans *Bifur* de « Souvenirs de famille » le premier des textes qui seront repris dans *Paroles*.

1931 « Tentative de description d'un dîner de têtes à Paris-France » est publié dans la revue *Commerce*.

1932 Prévert participe à des meetings de la fédération du Théâtre ouvrier de France et à des rencontres de l'Association des écrivains et artistes révolutionnaires. Le groupe Octobre, groupe de théâtre ouvrier, s'adresse à Prévert qui écrira pour eux de nombreux textes (« La bataille de Fontenoy », etc.). Le groupe, formé d'acteurs et d'intellectuels communistes, trotskistes, d'anciens surréalistes et aussi d'acteurs apolitiques, se bat contre un régime qui bascule à droite, une église réactionnaire, la menace de la guerre, la police, l'antisémitisme, Hitler et le fascisme. Pierre Prévert tourne *L'affaire est dans le sac* dont Jacques a écrit scénario et dialogues. À partir de cette date, nombreuses adaptations, scénarios et dialogues de films

1933 Il écrit, entre autres, un « Vive la grève » inspiré par la grève des ouvriers de l'usine Citroën. Va à Moscou avec le groupe Octobre pour l'Olympiade du Théâtre ouvrier. « La bataille de Fontenoy » remporte un très vif succès. Prévert ainsi que Duhamel et Yves Allégret, refusent de signer un texte à la gloire de Staline et de sa politique. Écrit « La pêche à la baleine ».

1934 Scénario de *l'Hôtel du libre échange*, adapté de Feydeau par Marc Allégret.
Il interprète « La pêche à la baleine » dans un court-métrage réalisé par Lou Bonin. Écrit « Marche ou crève » qui devient l'hymne du groupe Octobre.

1935 Écrit pour le groupe Octobre *Le tableau des merveilles*, d'après Cervantes, monté par Jean-Louis Barrault.
« Suivez le druide » pour une grande « Fête bretonne » du groupe Octobre, suivie d'un défilé anticlérical et antimilitariste ; l'affaire fait scandale. Adaptation et dialogues du film de Jean Renoir *Le crime de monsieur Lange*.
Il se sépare de sa femme Simone.

1936 Scénario et dialogues de *Jenny* réalisé par Marcel Carné. La censure interdit le tournage de l'*Ile des enfants perdus*.

276

Le groupe Octobre se dissout. Rencontre du compositeur Joseph Kosma qui commence à mettre en musique des textes de Prévert (« Chasse à l'enfant » et « L'enfance » pour Agnès Capri). « La crosse en l'air », réaction à chaud au coup d'État de Franco, paraît dans la revue *Soutes*.

Mort de son père André.

1937 Scénario et dialogues du film de Marcel Carné *Drôle de drame* (adapté d'un roman anglais).

1938 Adaptation et dialogues du film de Carné *Quai des Brumes* d'après le roman de Pierre Mac Orlan.

Prévert, en plein succès, s'embarque pour un séjour de plusieurs mois aux États-Unis. Scénariste « en vogue », il ignorera pourtant le monde d'Hollywood : « J'y allais pour l'amour, j'avais rendez-vous ». Rendez-vous avec l'actrice Jacqueline Laurent, son amie d'alors.

Henri Michaux l'encourage à se remettre à écrire ; il compose entre autres « Statistiques », première version du fameux poème « Inventaire ».

1939 Coscénario et dialogues pour *Le jour se lève* réalisé par Marcel Carné. Jean Paulhan, directeur de *La N.R.F.*, refuse de publier des textes de Prévert proposés par Henri Michaux.

Puis c'est la mobilisation, et Prévert se fait réformer en simulant des troubles mentaux. Il écrira : « La guerre déclarée, j'ai pris mon courage à deux mains et je l'ai étranglée. »

1940 Passe en zone libre : le Sud-Ouest puis Nice et Saint-Paul-de-Vence. Un certain nombre d'artistes juifs, dont le musicien Kosma, travailleront avec lui dans la clandestinité.

1941 Une émission de radio « Promenade avec Jacques Prévert » diffuse de nombreux textes inédits de Prévert.

1942 Scénario et dialogues du film de Marcel Carné *Les visiteurs du* *soir*. Prévert fait la connaissance de René Bertelé, professeur de lettres, qui vient d'achever un *Panorama de la jeune poésie française*.

1943 De nombreux textes de Prévert paraissent en revue. Carné tourne *Les enfants du paradis*, scénario et dialogues de Prévert. Celui-ci remonte en zone occupée et retrouve Janine Tricotet qu'il épousera en 1947.

1944 Un professeur de philosophie Emmanuel Peillet et ses élèves ronéotent un petit cahier de textes de Prévert dont les revues publient de plus en plus de textes.

1945 La radio diffuse des chansons de Prévert mises en musique par Kosma. *Paroles* est achevé d'imprimer le 20 décembre aux éditions du Point du jour fondées par René Bertelé, avec une couverture de Brassaï.

1946 En mars publication de *21 chansons* de Prévert et Kosma. *Paroles* est mis en vente au mois de mai. Dernière vraie collaboration de Prévert et Carné au cinéma : *Les portes de la nuit*. Dans ce scénario, on découvre « Les feuilles mortes » Cette chanson écrite au départ pour Marlène Dietrich, est refusée par l'actrice. Le débutant qui la fredonne dans le film se nomme Yves Montand.
La Compagnie Renaud-Barrault crée « Baptiste », pantomime en six tableaux d'après *Les enfants du paradis*.
Naissance de Michèle, fille de Jacques et de Jeanine Tricotet.

1947 Rencontre le photographe Robert Doisneau. Ils entreprennent leurs promenades dans Paris.
Nouvelle édition augmentée de *Paroles*, toujours aux éditions du Point du jour. En 1949, le livre sera publié dans une coédition Gallimard-Le Point du jour (qui devient une collection au sein des Éditions Gallimard). La publication en Livre de poche aura lieu en 1957, et en Folio en 1972.

Genèse

On l'a vu, *Paroles* est véritablement un recueil : les textes qui le composent ont été écrits au fil des années sans souci de publication ou de composition d'un livre. La publication fut d'ailleurs presque due au hasard. Prévert avait toujours refusé aux éditeurs l'autorisation de publier un livre de lui. Jusqu'en 1945 où il l'accorde à René Bertelé dont un ami lui a dit le souhait de publier un livre de ses poèmes.

L'édition de 1946 comprend quatre-vingts textes dont quarante-deux ont déjà paru ici ou là (en revue, dans des plaquettes, ou comme textes de chansons). Prévert change un certain nombre de titres (« Statistiques » devient « Inventaire ») et révise les textes. L'ordre choisi est plus ou moins chronologique : le texte le plus ancien « Dîner de têtes », de 1931, ouvre le recueil, et les plus récents, ceux de 1944 consacrés à Picasso, sont à la fin.

L'édition de 1947 « revue et augmentée » comprend seize textes supplémentaires, dont un seul « Chez la fleuriste » (p. 195) est inédit ; les autres avaient été eux aussi publiés, en particulier dans *Le cheval de trois*, livre collectif publié en 1946 avec André Verdet et André Virel (ce sont les cinq textes des pages 229 à 237, insérés en bloc). Un de ces textes « Souvenirs de famille » (p. 27), paru en 1930, est donc maintenant le texte le plus ancien du recueil qui, ainsi, ne respecte plus l'ordre chronologique. L'édition de 1949 chez Gallimard sera la même que celle de 1947.

Place dans l'œuvre

Au moment où paraît *Paroles*, Prévert est à la fois inconnu et célèbre. Inconnu puisque *Paroles* est le premier livre qui paraît sous son seul nom, son premier vrai livre. Célèbre car beaucoup de gens ont vu les films dont il a écrit les scénarios et dialogues, ou fredonné les paroles de chansons écrites pour — ou utilisées dans — des films à succès. Le ton Prévert est l'une des composantes essentielles de l'air du temps depuis une bonne dizaine d'années.

■ **Faire une liste des films écrits ou dialogués par Prévert avant 1947.**

Le succès de *Paroles* fut considérable, aussi bien auprès du grand public qu'auprès des écrivains et des critiques (Henri Michaux, qui a encouragé Prévert depuis longtemps, mais aussi André Gide, Georges Bataille, Raymond Queneau, etc.). Prévert devient un écrivain à part entière qui va publier un grand nombre de recueils (*Spectacle*, 1951 ; *La pluie et le beau temps*, 1955 ; *Fatras*, 1966 ; voir la liste complète de ses œuvres aux pages 315 à 317 du volume), mais aucun ne connaîtra la même renommée · il reste avant tout l'auteur de *Paroles*

Contexte historique

Né en 1900, Prévert est trop jeune pour avoir fait la guerre de 1914-1918. Mais comme beaucoup de ses contemporains, il aura toujours une grande haine de la guerre et des militaires.

Après l'euphorie très brève de l'après-guerre, c'est la crise de 1929, le chômage, la misère pour beaucoup, l'échec des démocraties à résoudre les problèmes économiques; puis c'est la montée des régimes totalitaires (Mussolini en Italie dès 1925, Hitler en Allemagne en 1930, Franco en Espagne en 936) et l'espoir placé par certains dans la révolution soviétique de 1917. Prévert ne sera jamais membre du parti communiste, mais toute une partie de son activité, de 1932 à 1936, est liée à un groupe de théâtre (Octobre : le nom fait référence à la révolution soviétique) très proche des positions du P.C.

La menace de guerre se renforce dans les années trente et Prévert lutte avec les membres de l'AEAR. En France, l'arrivée au pouvoir des partis de gauche (le Front populaire des années 1936-1938) donne un élan aux revendications ouvrières (les congés payés, la semaine de quarante heures). Mais les questions de politique étrangère (le soutien aux républicains espagnols engagés dans une terrible guerre civile, la conférence de Munich) font échouer cette expérience. C'est alors la Seconde Guerre mondiale, la mort de la république, le régime de Pétain, l'occupation par les Allemands d'une grande partie de la France. Avec la Libération, une nouvelle vague d'espoir accompagne le retour de la république; le général de Gaulle inclut des communistes dans son premier gouvernement. De grands artistes, comme Picasso rejoignent les rangs du P.C. Telle est à peu près l'atmosphère au moment de la publication de *Paroles*.

■ **Relever dans *Paroles* les allusions à différents événements historiques; quelle est la position idéologique de Prévert par rapport à ces événements?**

Rencontres

Il est difficile de situer Prévert. Individualiste, plutôt anarchisant, il est surtout un grand adepte de l'amitié et des petits groupes. Des rencontres successives (Tanguy, Marcel Duhamel) sont à la source du groupe très informel de la rue du Château, qui va devenir une composante du courant surréaliste.

■ **Exposé : Le surréalisme (histoire, doctrine). Consulter au C.D.I., par exemple, l'article « Surréalisme » dans l'*Encyclopædia universalis*.**

Prévert a autant apporté au surréalisme qu'il lui a emprunté. Le fameux jeu du « cadavre exquis » (texte composé par plusieurs personnes dont chacune ignore la phrase rédigée par celle qui la précède) est une invention de Prévert. Mais il n'a jamais publié de texte relevant de la pure écriture automatique, qu'il a probablement expérimentée avec les membres du groupe. Les jeux avec les clichés, les proverbes, plus généralement le langage, que Prévert va cultiver avec tant de constance et de bonheur, ont été pratiqués par son ami Desnos.

> *Ce sont aussi les surréalistes qui ont enseigné à Prévert la technique du* **collage**. *Les cubistes (Braque, Picasso) avaient inventé dès 1912 les* **papiers collés**, *œuvres où sont mélangées, dans une recherche de construction plastique, parties peintes et parties collées (titres de journaux, fragments de papier peint, paquets de cigarettes, etc.). Les surréalistes (Breton, Max Ernst surtout, à partir de 1919), fabriquent des œuvres où se côtoient personnages et décors*

empruntés à des illustrations variées, le merveilleux naissant du rapprochement d'éléments venus d'univers très différents. Prévert exécutera de nombreux collages graphiques, et toute une partie de son œuvre écrite relève de cette technique (cf. Fatras, Folio *n° 877).*

C'est toute une atmosphère où règnent l'insolite, la surprise, le goût du scandale et de la provocation, l'anticléricalisme, l'exaltation de l'amour et de la liberté — à quoi Prévert apporte sa touche personnelle de fantaisie, d'humour, de violence et aussi de lyrisme. Mais il n'a jamais partagé les vues de Breton sur la portée métaphysique du surréalisme, et refuse de se prendre au sérieux. Le merveilleux chez Prévert est le merveilleux de la vie quotidienne.

Les hésitations des surréalistes en ce qui concerne l'engagement politique lui seront étrangères. Prévert est trop au fait des réalités matérielles de l'existence pour se perdre dans des abstractions. Il est naturellement du côté des opprimés, sans tenir de grands discours sur la révolution. Proche des valeurs communistes, il est trop individualiste pour adhérer au P.C. Au retour du voyage en Union soviétique avec le groupe Octobre, il refusera de signer un texte vantant les mérites de Staline. En 1937, à la suite des procès d'opposants à Moscou, il se joindra aux signataires d'un appel exigeant une commission d'enquête internationale.

Prévert est avant tout un esprit libre, libre d'aimer ou détester qui bon lui semble.

2. FORMES ET LANGAGES

Le poète de la diversité ■ Versification ■ Figures de style — Jeux sur les mots ■ Lieux.

Le poète de la diversité

D'emblée, le lecteur de *Paroles* est frappé par la diversité dans la création des formes. Cette variété est le signe d'une liberté totale. Non que l'écriture de Prévert soit spontanée. Pour lui comme pour les autres grands créateurs le naturel est une conquête qui s'appuie sur le travail de l'écriture.

● La liberté du poète se manifeste sur différents plans. Il utilise aussi bien les termes d'argot, les tournures de la langue populaire, les formules de la conversation quotidienne, que les allusions culturelles, les références littéraires, les images savantes. Et au besoin il crée des mots qui lui conviennent, par exemple des verbes comme « dégoitrer, paraboler » (p. 30) ou « andromaquer » (p. 7) : et tant pis pour le respect dû à la veuve d'Hector et à Racine.

● Aussi les tons sont-ils variés : à des poèmes lyriques, qui expriment l'amour du monde et de ses beautés ou la révolte devant l'injustice, se joignent des textes violemment satiriques ou des fantaisies d'une gaieté malicieuse. Ces différents accents peuvent d'ailleurs se rencontrer dans le même texte quand il est d'une certaine ampleur.

■ **Distinguer les changements de ton dans « La crosse en l'air ».**

La composition du recueil

La grande liberté de l'œuvre apparaît encore quand on considère **la distribution des textes dans *Paroles***. Leur classement n'obéit pas à une logique rigoureuse, mais des regroupements sont pourtant envisageables.

● Observons d'abord que le début, le milieu et la fin du recueil sont respectivement occupés par un **long** texte. « La crosse en l'air » notamment, qui occupe la partie centrale de *Paroles*, comporte près de trente et une pages. Ce n'est pas seulement la longueur des trois poèmes qui doit être ici considérée, mais aussi leur thématique. Ils expriment la plupart des thèmes de l'œuvre : l'amour de la liberté, la solidarité avec les opprimés, la révolte devant les pouvoirs. On remarque aussi une évolution entre « Tentative » · — qui se termine par l'évocation du sombre destin des damnés de la terre — « La crosse en l'air » — dont la fin voit le veilleur prononcer des paroles d'espoir — et « Lanterne magique de Picasso », apologie de la liberté créatrice : comme si au long de l'œuvre la liberté s'affirmait de plus en plus nettement. On peut donc regarder ces trois textes comme les piliers de l'ensemble.

● Des regroupements **thématiques** sur la totalité de *Paroles* sont par ailleurs possibles. Une vingtaine de textes chantent l'amour, heureux ou malheureux, et sont majoritairement courts. D'autres, une dizaine environ, comme « Le cancre », « Chanson des escargots... » célèbrent la liberté, la joie de vivre, « les couleurs de la vie ». On pourrait évidemment inclure dans cette catégorie un certain nombre de poèmes d'amour

Les textes mettant surtout en cause les institutions et les croyances liberticides constitueraient un autre groupe. Ces poèmes de **la révolte**, en moyenne plus développés que les poèmes d'amour, sont au nombre d'une vingtaine. On pourrait y joindre quelques pièces exprimant la compassion pour des malheureux, victimes d'une société injuste

● S'il permet de voir se dessiner quelques lignes de force, un tel découpage a ses limites. D'une part on peut multiplier les catégories et sous-catégories. Ainsi un groupe de poèmes consacrés à **la création artistique** peut être subdivisé selon les variantes suivantes : hommages aux peintres (Picasso, Van Gogh), célébration d'un peintre et poète (Blake), fable sur le sentiment esthétique (« L'École des beaux-arts »), énoncé d'un art poétique (« Pour faire le portrait d'un oiseau »). D'autre part, dans de nombreux cas, les poèmes illustrent deux, voire trois thèmes.

■ **Citer au moins trois poèmes qui peuvent appartenir à deux des catégories mentionnées ci-dessus. Justifier ce choix.**

● On peut aussi élargir les critères de classement, en distinguant poèmes de **célébration** ou d'exaltation des valeurs et des êtres chers à l'auteur, et poèmes de **dénonciation** des laideurs et des injustices. Mais là encore apparaîtrait une autre classe de textes : ceux où ces deux sources d'inspiration sont mêlées.

■ **Trouver trois poèmes de célébration, trois de dénonciation, trois autres enfin qui incluent les deux aspects envisagés.**

● D'autres formes de classement, sans épuiser la totalité

des poèmes, permettent des regroupements intéressants. Par exemple, une vingtaine de textes sont de véritables **récits**, racontent une histoire inscrite dans une temporalité. C'est le cas de « Tentative », « La pêche à la baleine », « Souvenirs de famille », pour s'en tenir aux premières pages du recueil. Quelques textes sont explicitement présentés comme des récits : « Histoire du cheval », « Événements » ; « La crosse en l'air » a pour sous-titre « feuilleton ».

■ **Montrer que « La crosse en l'air », par exemple, pourrait facilement être transformé en nouvelle (un héros central, des aides et des obstacles à son action, des rebondissements, un conflit et sa résolution).**

■ **En quoi peut-on considérer « Souvenirs de famille » comme un roman d'éducation en raccourci ?**

Un autre groupe comprendrait des poèmes qui saisissent un instant de vie, ou fixent l'apparition d'une pensée ou d'un sentiment (« La belle saison », « Alicante », etc.). Enfin des textes, écrits au présent d'éternité, ont en commun d'exprimer des jugements ou des sentiments qui ne s'insèrent pas dans une chronologie (« Pater noster », « Fleurs et couronnes », etc.).

Ainsi les essais de classement, sans être complètement satisfaisants, permettent de dégager des affinités entre les textes, de dessiner des axes thématiques, de percevoir aussi la variété du recueil.

Versification

Le titre *Paroles* souligne la dimension **orale** de la poésie de Prévert. Ses textes sont autant destinés à être dits ou chantés que lus. Or la régularité du rythme et l'utilisation de la rime, supports traditionnels du texte poétique qui refuse la poésie pour l'œil, sont souvent absents de *Paroles*. Prévert compose le plus fréquemment en vers blancs, autrement dit il choisit le **rythme**, notamment le nombre des syllabes de chaque vers, sans être lié par une obligation de régularité. Il alterne aussi bien vers courts et longs que vers métriquement proches sans être totalement semblables. Dans le premier cas il tire souvent des effets expressifs du contraste entre la brièveté d'un vers et la longueur des précédents.

■ **Au début de « Rue de Seine » étudier l'effet produit par l'intrusion dans le texte de vers très courts (« le soir », « et sa voix », « un ordre », « un cri »), l'allongement du vers avec « et le chapeau de la femme »...**

■ **Dans « Sables mouvants », dégager l'impression créée par le quatrième vers, et son rôle rythmique.**

Dans le second cas, la combinaison de vers pairs et impairs apporte au texte souplesse et fluidité.

■ **« Alicante » : Après avoir décompté les syllabes de chaque vers, étudier les effets créés par le jeu entre rythmes réguliers et irréguliers.**

De même Prévert utilise rarement la **rime**. Il ne répugne pas alors à reprendre le même mot en fin de vers, procédé condamné par la versification classique (ex · « glacé / glacé », « Les grandes inventions » vers 7 et 8).

S'il écrit souvent en vers blancs (= sans rimes), il utilise fréquemment les **assonances**.

Ce sont d'ailleurs elles, avec les allitérations, les retours de sonorités, les rimes intérieures, qui assurent la cohésion mélodique des textes.

■ **« Pour toi mon amour »** : Après avoir analysé la structure rythmique du poème, étudier le jeu des sonorités (rimes, assonances, répétitions).

Figures de style – Jeux sur les mots

Distinguons d'abord le jeu **de** mots — du genre « à deux pieds », pour « à demain » — et le jeu **sur** les mots qui vise à l'expressivité par un travail sur le langage. Chez Prévert le jeu sur les mots fait image, il montre des aspects de la réalité par la révélation des facettes d'un vocable ou d'un champ lexical, faisant ainsi l'économie d'un développement. Il n'échappe donc pas à la rhétorique, qui codifie les figures de style.

■ **« Aux champs… »** : Montrer comment l'exploitation imagée d'un domaine lexical (champ, fleur, roseraie, fleur au fusil, fauché, le blé…) met en lumière une vision de la société.

Globalement, on trouvera beaucoup plus de jeux verbaux dans les textes satiriques que dans les poèmes qui chantent l'amour ou la beauté du monde. Dans ces derniers l'expression est le plus souvent dépouillée.

■ **De ce point de vue, comparer n'importe quel passage de « La crosse en l'air » ou de « Tentative », où Prévert met à mal ses adversaires, avec « Chanson » ou « Cet amour ».**

Jeux sur les sonorités

● Le plus élémentaire consiste à **substituer** une lettre à une autre dans un mot, sur le modèle du lapsus. Un seul signe différencie « Jeune et veau marin » (p. 15) de « jeune et beau marin », et guère plus de « jeune et veau

Marengo ». Une seule lettre vous manque et tout est décalé. « Café crème » devient « café crime » (p. 83), la baleine transperce le père « de père en part » (p. 23).

■ **De ces trois jeux de mots lequel paraît relever de la simple plaisanterie ? Lequel semble le plus porteur de sens ?**

■ **Commenter : « j'suis dévoré de la légion d'honneur… » (p. 39), « rien dans son charnier » (p. 170) — au besoin chercher le sens de « carnier » dans un dictionnaire — « la clef des singes » (p. 221).**

En d'autres occasions le poète jouera sur l'homophonie, le premier vers de « Sables mouvants » calque l'expression « des monts et merveilles », autrement dit « des choses étonnantes ».

■ **Si ce poème montre bien l'amour comme chose étonnante et merveilleuse, qu'apporte le mot « démons » à la perception du texte ?**

● Le jeu phonétique prend aussi d'autres aspects :

▶ La **contrepèterie** — simple, comme « Sabi en Paro » (p. 20) ou plus élaborée avec « lieutenant colonoque de la rondelle aux flambeaux » (p. 126). En inversant l'ordre des lettres la contrepèterie peut aussi renverser les valeurs établies.

■ **Analyser la valeur subversive de la formule : « Martyr c'est pourrir un peu » (p. 33). Tenir compte du contexte.**

▶ La **cascade d'allitérations** : — « la pipe au papa du pape Pie pue » (p. 116).

▶ La **rime intérieure** : « quel bordel madame Adèle / quel boxon monsieur Léon » (p. 124).

De manière plus savante, Prévert peut combiner allitérations et rimes intérieures pour créer un effet plaisamment saugrenu : « Et comme un duc de Guise qui se déguise en bec de gaz » (p. 243).

■ **Dans le même poème, p. 244, relever et étudier une contre-pèterie (formation-effet). Commenter l'expression : « l'Exposition de la Gravitation Universelle ».**

▶ **L'anaphore :**

> *Cette figure de style consiste à répéter, au début de chaque vers, phrase ou groupe de mots, le même mot ou la même expression.*

Prévert en tire des effets variés. Ainsi au début de « Tentative », la répétition lancinante de « Ceux qui » renforce l'effet d'accumulation produit par l'énumération des invités. En outre, le fait que l'anaphore est un trait constant des litanies religieuses, et qu'elle est en général utilisée dans le style soutenu, permet à l'ironie de l'auteur de s'exercer. La première occurrence de « Ceux qui », placée sous le signe de Hugo, représente l'esprit de sérieux ensuite mis à mal par Prévert. Le jeu consiste à compléter une liste d'anaphores par une série de têtes de Turc. L'effet burlesque naît du contraste entre le côté figé de l'anaphore et la fantaisie de la seconde partie de chaque vers. Le retour du procédé à la fin du poème crée une symétrie, et forme une antithèse avec les vers initiaux puisque maintenant ce sont les victimes de l'ordre social qui sont désignées. L'anaphore n'est donc pas seulement ici un moyen satirique, elle joue un rôle dans la composition du texte.

■ **Étudier l'effet produit par l'anaphore dans « La batteuse ».**

Les variations sur la polysémie

● **Zeugmes :**

> *Appelées aussi « attelages » ces figures consistent jus-*
> *tement à « atteler » à un même verbe des complé-*
> *ments de nature différente ou à jouer sur la polysé-*
> *mie d'un verbe en lui donnant des compléments qui*
> *ne correspondent pas à la même acception.*

Dans *Paroles* on trouve ces deux types de zeugme. La seconde catégorie est la plus fréquente. Même la formule « il prit du ventre et beaucoup de pays » (« Composition française »), ne joue pas seulement sur l'hétérogénéité des compléments, mais aussi sur deux sens sensiblement différents du verbe « prendre ». Cet exemple montre en outre que le zeugme tel que le pratique Prévert n'est pas seulement amusant. Assimiler un conquérant à un obèse renvoie à une vérité : ne parle-t-on pas d'« appétit de conquête », et Napoléon ne fut-il pas surnommé par ses ennemis l'« ogre de Corse » ?

Le plus souvent la polysémie permet à l'auteur des constructions à la fois comiques et insolites. « Les dents, les vieillards et les portes claquent de peur » (p. 12) joue sur deux sens de « claquer » (même trois, car l'intensité du bruit pour les portes et les dents est bien différente...). Jusqu'ici l'expression n'est qu'amusante, mais « de peur » introduit l'insolite, le complément de cause ne pouvant s'appliquer qu'à deux des sujets.

■ **Analyser le zeugme « Moi je joue de l'orgue de Barbarie /**

et je joue du couteau aussi » (p. 145). Commenter le choix de cet instrument. Repérer un autre sens de « jouer » dans la suite du poème. Analyser le rôle du mot « jouer » dans la composition du texte.

■ Étudier « ils parlent du nez... de la pluie et du beau temps » (p. 125).

● **Le calembour :** c'est un autre jeu sur la polysémie Prévert prend souvent au pied de la lettre des expressions figurées. Dans « Le discours sur la paix », « trébucher » et « creuse » sont pris au sens propre de manière d'autant plus inattendue que « trébucher sur un mot » et « phrase creuse » sont des expressions largement usitées. Autre calembour : « il a reçu un éclat de rire dans l'œil » (p. 136)

■ **Expliciter le calembour « arrive avec son petit orgue / Un grand canard de Barbarie » (p. 241).**

Le jeu sur la polysémie est souvent mis en évidence par des **répétitions** permettant des variations sur les différents sens du mot.

■ **En quoi les reprises de « chef » sont-elles un moyen de souligner la signification générale de « La lessive » ?**

La polysémie permet des enchaînements inattendus, comme « et les fils les cousins les moustiques » (p. 109).

■ **Préciser les deux sens de « cousins » qui permettent l'enchaînement. Relever et analyser trois ou quatre exemples de ce type d'associations de mots dans *Paroles*.**

● Le mot-valise.

Voisin du calembour par l'écart créé avec l'usage habituel des mots, **le mot-valise** consiste à emboîter deux termes qui laisseront chacun un peu de leur signification dans le vocable ainsi créé. Par exemple « pétopiomane » (p. 126) combine « opiomane » et « pétomane ». Certains enchaînements fonctionnent d'ailleurs comme des mots-valises. Ainsi « cloué sur deux planches de salut » (p. 29-30), combine un procédé d'association (« planche » entraîne « salut » comme « fond » entraînerait « de culotte ») et le téléscopage de deux sens de « salut » (celui de l'expression « planche de salut » / le salut au sens religieux).

■ **Analyser deux ou trois exemples de ce type d'enchaînement.**

Substitutions sémantiques

« Dans ma maison » en donne deux exemples différents. D'abord « il a un cheval caisse et des tiroirs de course ». Il s'agit d'une simple **permutation** de termes qui relève du principe de la contrepèterie, comme « Un hussard de la farce avec un dindon de la mort » (p. 238).

Le second retourne l'expression figée « bête comme un pied » en « C'est très intelligent les pieds ». La substitution bouscule le conformisme du langage, voire de la pensée. Dans « La crosse en l'air » « tous les ruisseaux mènent à Rome » p. 116 — et le ruisseau du poème n'a rien de limpide — n'a pas du tout l'allure benoîte de l'expression habituelle « tous les chemins mènent à Rome ».

■ **« Le concert n'a pas été réussi » : commenter l'opposition des deux premiers vers. « Bonne nuit » est-il antonyme de « mauvais jours » ? Établir la relation des deux expressions.**
Le travail poétique sur les expressions convenues peut prendre d'autres formes. « Histoire du cheval » en est un exemple. « Avoir un cheval tué sous lui » est un lieu commun ; dans le récit de guerre traditionnel la quantité de

montures tuées sous un cavalier donne la mesure du courage du rescapé. Cette expression a donc tout pour inspirer Prévert : il la **réactive** en imaginant qu'il existe d'autres manières pour un cheval d'être tué sous son cavalier et qu'un général, qui meurt parfois dans son lit, peut y être aussi mortifère que sur un champ de bataille.

■ **Montrer, à propos de ce poème, qu'une remise en cause par l'humour d'une expression toute faite peut être la source ou le thème majeur d'un texte de Prévert. Trouver et analyser au moins deux autres exemples dans *Paroles*.**

Le sort qu'il fait aux formules figées amène souvent l'auteur à des **associations cocasses**. « Pleurer comme un veau », entraîne le rapprochement sémantique avec le boucher, et permet de jouer sur le ressort comique du monde renversé, puisque le boucher se fait veau (p. 240).

■ **En utilisant le même principe, imaginer qui peut avoir une fièvre de cheval, un appétit d'oiseau, être malin comme un singe, muet comme une carpe, faire des sauts de puce. Construire ensuite un court récit ou un poème à partir de cette trouvaille.**

Le collage

Le collage littéraire est l'insertion dans un texte d'un fragment d'un autre texte, sans que ce transfert soit signalé. Le collage peut être littéral, ou faire l'objet d'une modification : « Ceux qui pieusement » (p. 7) est un collage littéral, mais la transplantation donne à la citation un sens bien éloigné des intentions de Hugo.

■ **Montrer comment le contexte immédiat (le titre, les points de suspension, le deuxième vers) modifie le sens initial du vers.**

■ **Un vers de Corneille est cité littéralement p. 114. Or un mot ne peut avoir le même sens chez Corneille et chez Prévert. Pourquoi? Préciser la signification du vers dans chacun des deux contextes.**

La modification du texte d'origine rend plus manifeste l'**intention parodique** « Et si ce n'est pas vous [...] et vos chiens... » (p. 14) est un collage modifié. Le détournement d'un texte célèbre a en général un effet comique, surtout s'il s'agit d'une fable de La Fontaine, auteur largement mis à contribution par l'école. Mais Prévert ne se borne pas à susciter chez le lecteur l'amusement, ou le plaisir de reconnaître la source du collage.

■ **Montrer que l'assimilation de « l'homme avec une tête d'homme » au loup de la fable n'est pas gratuite.**

■ **Comment interpréter « vous connaissez les fables »? Et qui sont « vos bergers et vos chiens »?**

L'art de la métaphore

Au total toutes les manipulations verbales ne se fondent pas seulement sur des analogies formelles. Si Roséole se substitue à rosette (p. 29), ce n'est pas pour la seule paronymie : il s'agit bien d'une métaphore avec un comparant et un comparé, qui met en relief l'aspect morbide de la légion d'honneur. Aussi le jeu de mot dévoile-t-il une vision de la réalité.

■ **Relever plusieurs jeux verbaux qui ne sont pas cités dans ce dossier et montrer qu'ils sont de véritables métaphores.**

■ **Analyser quelques métaphores plus traditionnelles, comme « rouille de la vie rouille des corps » (p. 105), etc.**

Une métaphore peut être à la source d'un texte de *Paroles*. Par exemple une métaphore est au cœur du « Cheval rouge ».

■ Étudier comment se développe la métaphore filée.

■ « Le combat avec l'ange » est construit sur une métaphore. Étudier comment l'auteur joue sur la polysémie pour établir le rapport entre le comparé (l'individu aux prises avec la morale chrétienne) et le comparant (un match de boxe joué d'avance).

■ Trouver d'autres exemples dans *Paroles*. Justifier les choix.

PETIT INVENTAIRE

Ainsi fantaisie verbale et imagination se conjuguent pour créer un monde insolite ou merveilleux dont le poète se plaît à faire l'inventaire. Trouver les titres des poèmes dans lesquels figurent les éléments suivants.

La machine à peser les balances / une machine à écrire des lettres d'amour / une machine à perfectionner le civet deux petites vagues pour me noyer

la glace dans son armoire / la grande armoire à glace à rafraîchir la mémoire des lièvres

les sept éclats de glace de ton rire étoilé

222 rue de Vaugirard / deux escargots très désappointés / trois allumettes une à une allumées dans la nuit

deux ou trois douzaines de grosses vieilles femmes à barbe

un roi du fumier de lapin / un Bonaparte Napoléon de son prénom

Un Louis X (dit le Hutin)

un Napoléon à l'orange

un cheval sur trois pieds / vingt-cinq centimes pour le pourboire du garçon

un oncle Grésillard

plusieurs ratons laveurs.

Solutions du jeu page 309.

Lieux

La plupart des poèmes de *Paroles* ne sont pas expressément situés. Le cadre le plus fréquent est celui de **la ville**. Parmi les villes nommées, Paris se taille la part du lion. Quinze textes ont la capitale pour cadre, la Bretagne est représentée par Douarnenez et Brest, le Midi par Arles, Les Saintes-Maries-de-la-Mer, encore qu'on peut se demander pour ce dernier cas si le lieu n'a pas été choisi pour des raisons onomastiques en rapport avec la satire anticléricale du texte.

■ **Pourquoi Prévert a-t-il choisi de situer le début de « La crosse en l'air » rue de Rome, près de la gare Saint-Lazare ?**

Prévert ne décrit guère l'espace où s'inscrivent ses poèmes. En général la désignation d'une ou plusieurs rues de la ville suffisent à ancrer le texte dans le décor urbain. On peut considérer qu'à ses yeux ces noms parlent d'eux-mêmes au lecteur, et pas seulement pour la rue parisienne. La rue de Siam joue le même rôle pour Brest que la rue de Vaugirard pour Paris.

■ **« Rue de Seine » : la scène aurait pu se passer n'importe où. Qu'apporte alors la double indication (lieu-temps) donnée par le premier vers ?**

■ **Les éléments descriptifs dans « La rue de Buci maintenant… » visent-ils à créer un pittoresque ? des effets de réel ? Une atmosphère ? À rendre sensible la perte d'un passé révolu ?**

Pour évoquer un décor méridional Prévert recourt à la même **sobriété de moyens** : « des piments rouges accrochés au mur blanc » suffisent à suggérer le cadre de

« Dans ma maison ». La campagne est un lieu pour une situation, aucune recherche de pittoresque n'apparaît (ex : « Chasse à l'enfant »). « La batteuse » est le seul poème où une scène campagnarde est suggérée, pour une raison qui ne relève d'ailleurs pas d'un goût pour les charmes de l'espace rural.

■ **Quel est l'effet recherché par l'auteur dans ce texte?**

3. THÉMATIQUE

Un poète de la liberté ▪ Le paradis sur terre ▪ L'oiseau.

Un poète de la liberté

Prévert prend toujours le parti de l'individu contre la société qui veut le mettre au pas, des malheureux et des opprimés contre les institutions qui les écrasent : l'Église, l'armée, les patrons, l'école, dont il dénonce la conni-vence. Plus largement il fustige tous ceux qui, même parmi les humbles, sont des figures du pouvoir. Il ne s'agit pas d'un individualisme systématique, puisqu'il appelle les exploités à s'unir pour se libérer. La « masse », quand il s'agit des travailleurs formant bloc, a une valeur positive, alors que la « foule », inspirée par la morale des bien-pensants, est toujours hostile au bonheur de l'individu.

▪ Comparer, de ce point de vue, la fin d'« Événements » et du « Temps des noyaux » d'une part, « Chasse à l'enfant » d'autre part.

Le lecteur trouvera chez Prévert les thèmes et les valeurs **libertaires**, mais sans l'esprit de sérieux d'un appareil théorique. Ses idées naissent de son goût personnel pour la liberté et de sa sympathie pour des gens du peuple dont il ne se sent pas différent.

> « Libertaire » et « anarchiste » ont le même sens. La pensée anarchiste naît et se développe au XIXᵉ siècle, avec des théoriciens comme Proudhon, Bakounine, Stirner. Elle se caractérise avant tout par le refus de

l'État et des institutions qui en découlent ou calquent son autoritarisme. L'anarchie ne prône pas le désordre (le sens courant du mot est ici trompeur), mais a pour but la construction d'une société fondée sur la solidarité, dans laquelle les individus seraient pleinement libres.

La satire de la religion

Les dogmes du christianisme sont ou ridicules ou néfastes, et souvent les deux à la fois.

● Dieu n'existe pas parce qu'on n'a pas besoin de lui (« Pater Noster »). Les croyants ou « ceux qui croient croire » (p. 7) se font un Dieu à leur image, qui n'est pas très belle.

■ **Étudier l'opposition des mouches et de l'hirondelle (p. 54).**
Prévert ne présente de Dieu que l'image la plus simpliste, ce qui est de règle dans toute satire. Cette **simplification** renvoie soit à une convention (Dieu est installé sur un nuage dans « Tentative »), soit au schématisme du conte enfantin (« Dieu est un grand lapin. » p. 169). Mais il n'y a pas là seulement matière à rire, car Dieu est aussi représenté comme un patron cynique (« ma maison est lancée ! », p. 31), « un vieil usurier » (p. 172), finalement comme une dangereuse allégorie du pouvoir (p. 76 : « tout ce joli monde se retrouvera là-haut / près du bon dieu des flics »).

◗ Jésus accomplit des miracles **absurdes**, bien inférieurs aux merveilles de la nature (cf. p. 182) Prévert, loin de s'interroger sur la portée symbolique des actes du Christ, adopte la démarche inverse : il n'en retient que l'apparence la plus terre à terre : c'est le principe du burlesque (ex. « La Cène »). La vie du Christ devient une « banale histoire » (p. 29), alors que le récit des Évangiles est marqué par l'exceptionnel.

■ **Travail de groupe. Relever dans les Évangiles tous les épisodes parodiés dans les pages 29, 30, 31.**

■ **Comment Prévert banalise-t-il la vie et le personnage de Jésus ?**

■ **Les miracles : comment sont-ils tournés en dérision ? Quelques pistes : fusion de deux miracles sans rapport entre eux (« l'eau qui leur sortait du ventre il la changeait en vin »), ajout d'un détail saugrenu (« les marchands de lacets du Temple »).**

Cependant Jésus n'est pas toujours une sorte de mage inoffensif, car il conforte un ordre social injuste.

■ **Dans ce même passage, distinguer, dans les faits et gestes du Christ parodiquement rapportés, ce qui est dérisoire de ce qui est socialement dangereux.**

▌ Dès lors on ne s'étonne pas que la Sainte-Trinité ne soit pas davantage respectée : elle est associée à la famille bourgeoise (« La lessive »).

Finalement, rien dans les dogmes chrétiens ne trouve le moindre écho chez Prévert. À tout prendre, le paganisme l'attire davantage. « Osiris ou La fuite en Égypte » révèle bien cette sympathie ; le dieu égyptien est affranchi de toute morale répressive, il est beau et triomphe par sa présence du christianisme honni qui prétendait l'effacer.

■ **Montrer comment Prévert dans ce texte inverse le point de vue traditionnel dans la comparaison entre paganisme et christianisme.**

▌ Quant aux membres du **clergé**, ils sont au moins antipathiques, et généralement odieux. Même l'évêque de « La crosse en l'air », bien que son ivresse le rende plus humain, est jaloux du pape dont il aimerait prendre la place. Il est facile de dresser la liste des défauts des ecclésiastiques. Pour l'essentiel ceux-ci sont caractérisés par leur absence de pitié à l'égard des faibles, une morale répressive qui cache bien des refoulements (cf. « Souvenirs de famille »), leur haine de tout comportement naturel. Leur collusion avec les pouvoirs est surtout frappante.

■ **Montrer que la métamorphose de l'abbé à la fin de « La crosse en l'air » était déjà en germe dans les pages qui précèdent.**

■ **Commenter les formules « ils lui plantent un crucifix ou un tricolore dans le dos » (p. 38), « les maîtres avec leurs prêtres » (p. 61), « l'âge des bagnes [...] l'âge des canons » (p. 100), « les breloques divines [...] les colifichets du malheur » *(ibid.)*.**

L'armée

L'antimilitarisme de Prévert est au moins aussi virulent que son anticléricalisme.

■ **Dans le poème « Tentative » (du début jusqu'à « têtes de crémier », p. 8), relever tous les traits d'antimilitarisme. Dégager les points essentiels de la critique de l'armée.**

Celle-ci est montrée sous deux aspects.

▶ D'abord, suivant une tradition illustrée par des auteurs comme Courteline (ex : *Les gaîtés de l'escadron*), les gradés dans *Paroles* sont des **pantins** ou des ganaches. Contentons-nous des amiraux : l'un périt au cours d'un banquet en prononçant par automatisme le rituel « les enfants d'abord », un autre est un pur néant (« L'amiral »).

303

Les officiers supérieurs ne meurent d'ailleurs pas sur le champ de bataille (« Histoire du cheval »). Ce ne serait pas bien grave s'ils ne faisaient montre d'autant d'allégresse à envoyer les autres à la mort.

◗ L'armée prend alors une allure beaucoup plus **inquiétante**. Elle exalte les rêves de violence des foules (p. 74), entretient un héroïsme par procuration qui inspire à ceux qui ne risquent rien (les généraux, les vieillards, les nantis) le désir d'envoyer la jeunesse au combat (ex : « Le temps des noyaux »).

■ **Commenter dans « Familiale » « trouve ça tout naturel ».**

◗ Il ne s'agit plus pour Prévert de se moquer de personnages ridicules, comme dans « Quartier libre », mais de **dénoncer** des assassins, tels « Quiépo micro de Llano » (p. 131) et le « vieillard blême » de « L'ordre nouveau ».

La famille petite-bourgeoise

Elle aussi est un lieu de pouvoir ; elle sert de relais aux institutions religieuse et militaire pour écraser la liberté individuelle. Les enfants, les jeunes filles qui se sont écartées de la norme, les jeunes gens destinés à servir de chair à canon en sont les victimes toutes désignées.

■ **Analyser ce rôle de la famille dans « Souvenirs de famille », « Familiale », « La lessive ».**

■ **Il existe dans *Paroles* d'autres formes de pouvoir. Les repérer et mettre en lumière leurs points communs. Étudier particulièrement le rôle de l'école.**

Le paradis sur terre

La violence de la satire des pouvoirs est inséparable chez Prévert de l'aspiration à une société affranchie de leurs contraintes, où régnerait le bonheur de vivre dans la joie simple du cœur et du corps Ce monde ne serait pas innocent parce que les fautes telles que la morale traditionnelle les entend ne seraient plus commises, mais parce qu'elles cesseraient d'être des fautes

● L'aspiration à ce monde idéal se lit déjà dans le **renversement des valeurs** opéré par un texte comme « Épiphanie », où l'ordre des choses est radicalement inversé. On peut aussi percevoir le désir de remplacer les normes du monde réel par un joyeux désordre dans les fantaisies verbales de « Cortège » ou d'« Inventaire ». Mais l'inversion de la réalité n'est pas une fin en soi, elle est surtout un signe du désir d'imaginer un monde idéal.

Cet univers rêvé prend la forme d'un **Paradis terrestre**, sans l'œil soupçonneux d'un Dieu sévère qui veille à son bon ordre (cf. « Pater Noster »). Comme dans le livre de la Genèse, l'homme et les animaux, les espèces animales entre elles, vivent en bonne intelligence. Les chats n'y tuent pas les oiseaux (cf. « La crosse en l'air »), les animaux et les hommes ont un langage commun *(ibid.)*.

Au Dieu de la Bible se substitue avantageusement une mythologie païenne. Le **Soleil** (« Chanson des escargots... ») intervient comme une puissance divine mais bienveillante (il est le « camarade Soleil » p. 233), pour prêcher la gaieté (« c'est moi qui vous le dis ») et exalter le bonheur de vivre.

■ **Étudier, dans cette perspective, la signification que donne Prévert au dieu Osiris (p. 224).**

● Le monde idéal est aussi celui où triomphe **l'amour** débarrassé de tous les tabous imposés par un moralisme étroit. Conception païenne là encore, puisque l'amour est célébré en dehors de toute justification psychologique ou morale, comme une évidence naturelle. Ainsi la **nudité** est un thème récurrent, car elle implique l'absence de fausse honte, le retour à une vérité primitive. La nudité de Blake (« Noces et banquets ») est une provocation, mais surtout l'expression de sa sincérité, de son rejet des conventions hypocrites.

■ **Analyser le rapport entre nudité d'une part et beauté/ liberté/jeunesse/ dans plusieurs poèmes (p. 26 — p. 60 — p. 86 — p. 182 — p. 216 — p. 247).**

L'oiseau

Si le bestiaire de *Paroles* est assez peu fourni, les oiseaux occupent une place importante dans l'imaginaire de Prévert. Ils ne sont pas décrits : leur grâce, leur légèreté séduisent évidemment le poète, mais il les **donne à imaginer** plutôt qu'à voir. Prévert n'utilise pas les oiseaux comme un motif de décoration, tels ceux « rôtis par les poètes » (p. 11-12) ou « mangés cuits dans les poèmes » (p. 29). « Pour faire le portrait d'un oiseau » est à cet égard significatif : ce sont toutes les connotations éveillées par le mot « oiseau » qui inspirent l'auteur, et non tel ou tel oiseau vu sous un angle esthétique. Ainsi peu d'oiseaux sont-ils nommés : car nommer, c'est déjà enfermer l'oiseau dans une définition trop humaine, comme dans une cage (cf p. 86 : le pinson).

> L'ironie à l'égard des hommes, soi-disant rois de la Création, et qui prétendent nommer les animaux à leur gré, est un thème récurrent chez Prévert. On en trouvera deux exemples dans Contes pour les enfants pas sages *(Folio junior n° 21).*
>
> *« Celui-là c'est l'éléphant de mer, mais il n'en sait rien. L'éléphant de mer ou l'escargot de Bourgogne, ça n'a pas de sens pour lui, il se moque de ces choses-là, il ne tient pas à être quelqu'un »* (L'éléphant de mer).
>
> *« Chœur des hommes :*
> *Ces animaux ne sont pas bons à manger, leurs cris sont désagréables, leurs oreilles ridiculement longues, ils sont sûrement stupides et ne savent ni lire ni compter, nous les appellerons des ânes parce que tel est notre bon plaisir et ils porteront nos paquets »* (Les premiers ânes).

■ **L'hirondelle d'« Événements » est une exception. Pour quelles raisons Prévert a-t-il imaginé un oiseau précis ? En particulier, comparer l'hirondelle de Prévert et celle de La Fontaine dans « L'hirondelle et les petits oiseaux ».**

● L'oiseau a donc essentiellement une **valeur symbolique**, sans être réduit à une allégorie, car le poète l'imagine toujours avec un sentiment fraternel qui le rend vivant malgré l'absence de traits descriptifs. Essentiellement image de la liberté, il se range du côté des déshérités des amants, et épouse leur cause.

■ Étudier cet aspect dans « La crosse en l'air » (p. 140-141), « Événements » (p. 57).

■ Dans « Salut à l'oiseau » relever les traits caractéristiques des oiseaux. Les éléments thématiques relevés ont des échos dans le reste du recueil. Donner un exemple pour chacun des traits notés.

■ Que symbolise l'oiseau dans « Quartier libre » ? Dans « Chanson de l'oiseleur » ?

● L'oiseau est ainsi le **véritable compagnon** des hommes libres, il se substitue avantageusement à l'ange gardien de l'imagerie religieuse, garde-chiourme ou triste poulet déplumé (p. 130). Figure de la paix, il apprivoise même les chats (p. 140). Aussi les hommes feraient-ils bien de s'inspirer de son exemple (cf. « Au hasard des oiseaux »).

Si certains oiseaux attirent moins la sympathie, c'est après tout la faute des hommes : ce ne sont pas les corbeaux qui imitent les prêtres vêtus de leurs soutanes (cf. p. 7 l'association « croa-croa » / croyance et « les corbeaux verts de Saint-Sulpice » (p. 230). Prévert vise en l'occurrence plus le comparé que le comparant.

Rien d'étonnant dès lors que l'oiseau soit **uni à l'enfant** par une relation priviligée (« Page d'écriture »).

■ Analyser dans ce texte, puis dans l'ensemble du recueil, les points de convergence entre l'image de l'enfant et celle de l'oiseau.

■ Élargissement : dans *Paroles* un animal qui n'a rien d'un oiseau se nomme Hector. Qui est-ce ? Préciser les sentiments de l'enfant à son égard. Commenter le fait qu'il soit nommé, et ce nom même.

4. DIVERS

Solutions du jeu ▪ Sujets de travail écrit
▪ Conseils de lecture ▪ Chansons

Solutions du jeu

Événements (p. 52) ; *Rue de Seine* (p. 64) ; *Les grandes inventions* (p. 46) ; *Sables mouvants* (p. 159) ; *Souvenirs de famille* (p. 37) ; *Les grandes inventions* (p. 44) ; *Le miroir brisé* (p. 176) ; *Événements* (p. 53) ; *Chanson des escargots...* (p. 77), *Paris at night* (p. 206) ; *La crosse en l'air* (p. 128) ; *Riviera* (p. 79) ; *Dans ma maison* (p. 86) ; *Les belles familles* (p. 165) ; *Cortège* (p. 238) ; *Place du Carrousel* (p. 236) ; *La grasse matinée* (p. 84) ; *Le retour au pays* (p. 70) ; *Inventaire* (p 212).

Sujets de travail écrit

◆ Prévert a été salué d'emblée comme un poète « populaire ». Les textes de *Paroles* vous paraissent-ils justifier cette formule ? Tenir compte des différents sens du mot « populaire ».

◆ Ce jugement de Georges Bataille vous semble-t-il pouvoir s'appliquer à *Paroles* : « Ceci déconcerte en Prévert qu'il lie à l'entière absence de sérieux la plus vive passion. »

◆ Prévert est maintenant publié dans la prestigieuse « Bibliothèque de la Pléiade ». Certains s'offusquent de

(POP)

voir l'auteur de *Paroles* voisiner avec Hugo, Rimbaud et Apollinaire. Vous chercherez quelles peuvent être leurs arrière-pensées et vous donnerez votre point de vue.

Conseils de lecture

◆ Plusieurs recueils de Prévert sont disponibles dans la collection Folio. Ne pas manquer de lire *Fatras* (n° 877), *Histoires* (n° 119), *La pluie et le beau temps* (n° 90), *Spectacle* (n° 104).

◆ Si vous avez été séduit(e) par la personnalité de Prévert, vous trouverez un grand intérêt à la lecture d'*Hebdromadaires*, entretiens de l'auteur avec A. Pozner (Folio n° 522).

Pour en savoir davantage :

◆ « Bibliothèque de la Pléiade » (Gallimard) : *Œuvres complètes de Jacques Prévert* (t. I 1992, t. II 1996). L'appareil critique (notes, notices, documents) établi par D. Gasiglia-Laster et A. Laster est très riche.

◆ Pour connaître la vie de Prévert : *Jacques Prévert*, biographie par Danièle Gasiglia-Laster (Éd. Séguier, 1994).

◆ Pour une étude plus approfondie de *Paroles* : *Paroles*, Foliothèque n° 29 (Gallimard). Commentaire par D. Gasiglia-Laster.

Chansons

De nombreux textes de *Paroles* ont été mis en musique, notamment par Joseph Kosma. Ils ont été chantés par de grands interprètes, des années quarante jusqu'à tout récemment : Agnès Capri, Marianne Oswald, Germaine Montero, Mouloudji, Cora Vaucaire, Juliette Gréco, Les frères Jacques, Yves Montand, Jean Guidoni, bien d'autres.

■ **Retrouver leurs disques et comparer leurs interprétations.**

On trouvera quelques textes de *Paroles* dits par l'auteur sur le disque « Jacques Prévert dit par Prévert » (disque J. Canetti, 102572 MU 760).

PAROLES   7
Notes   259

DOSSIER

1. Contextes   273

Repères chronologiques 273
Genèse   279
Place dans l'œuvre   280
Contexte historique   280
Rencontres   282

2. Formes et langages 284

Le poète de la diversité 284
Versification   287
Figures de style — Jeux sur les mots 289
Lieux   298

3. Thématique   300

Un poète de la liberté   300
Le paradis sur terre   305
L'oiseau   306

4. Divers   309

Solutions du jeu   309
Sujets de travail écrit   309
Conseils de lecture   310
Chansons   311

DU MÊME AUTEUR

Aux Éditions Gallimard

PAROLES (repris en Folio, n° 762).

DES BÊTES. *Photographies d'Ylla.*

SPECTACLE (repris en Folio, n° 104).

LETTRE DES ÎLES BALADAR. *Avec des dessins d'André François. Nouvelle édition en 1967.*

LA PLUIE ET LE BEAU TEMPS (repris en Folio, n° 90).

HISTOIRES (repris en Folio, n° 119).

FATRAS. *Avec cinquante-sept images composées par l'auteur* (repris en Folio, n° 877).

CHOSES ET AUTRES (repris en Folio, n° 646).

GRAND BAL DU PRINTEMPS, *suivi de* CHARMES DE LONDRES (repris en Folio, n° 1075).

ARBRES. *Illustrations de Georges Ribemont-Dessaignes.*

GUIGNOL. *Illustrations d'Elsa Henriquez.*

LE ROI ET L'OISEAU. *En collaboration avec Paul Grimault.*

SOLEIL DE NUIT. *Édition d'Arnaud Laster avec le concours de Janine Prévert* (repris en Folio, n° 2087).

HEBDROMADAIRES. *En collaboration avec André Pozner,* Folio, n° 522. *Nouvelle édition revue et augmentée d'inédits en 1982.*

COLLAGES. *Textes d'André Pozner. Préface de Philippe Soupault.*

LE PETIT LION. *Photographies d'Ylla.*

LA CINQUIÈME SAISON. *Édition d'Arnaud et Danièle Laster avec le concours de Janine Prévert.*

JENNY — LE QUAI DES BRUMES. *Scénarios.*

LA FLEUR DE L'ÂGE — DRÔLE DE DRAME. *Scénarios.*

LE CRIME DE MONSIEUR LANGE — LES PORTES DE LA NUIT. *Scénarios* (repris en Folio, *n° 3033*).

ATTENTION AU FAKIR ! *suivi de* TEXTES POUR LA SCÈNE ET L'ÉCRAN.

DÎNER DE TÊTES À PARIS-FRANCE. *Ouvrage conçu et réalisé par Massin.*

CORTÈGE. *Ouvrage conçu et réalisé par Massin.*

Bibliothèque de la Pléiade

ŒUVRES COMPLÈTES, I & II. *Édition de Danièle Gasiglia-Laster et Arnaud Laster.*

Enfantimages

LA PÊCHE À LA BALEINE. *Illustrations de Henri Galeron.*

GUIGNOL. *Illustrations d'Elsa Henriquez.*

PAGE D'ÉCRITURE. *Illustrations de Jacqueline Duhême.* Repris en Folio Benjamin, *n° 115.*

LE DROMADAIRE MÉCONTENT. *Illustrations d'Elsa Henriquez.* Repris en Folio Benjamin, *n° 13, illustrations de Francis Quiquerez.*

La Bibliothèque de Benjamin

5 HISTOIRES DE JACQUES PRÉVERT.

Folio Cadet

AU HASARD DES OISEAUX, ET AUTRES POÈMES. *Illustrations de Jacqueline Duhême, n° 276.*

CONTES POUR ENFANTS PAS SAGES. *Illustrations d'Elsa Henriquez, n° 181.*

Folio Benjamin

EN SORTANT DE L'ÉCOLE. *Illustrations de Jacqueline Duhême, n° 114.*

HISTOIRE DU CHEVAL. *Illustrations d'Elsa Henriquez-Savitry, n° 116.*

CHANSON POUR CHANTER À TUE-TÊTE ET À CLOCHE-PIED. *Illustrations de Marie Gard, n° 120.*

CHANSON DES CIREURS DE SOULIERS. *Illustrations de Marie Gard, n° 132.*

L'OPÉRA DE LA LUNE. *Illustrations de Jacqueline Duhême, n° 141.*

LE GARDIEN DU PHARE AIME TROP LES OISEAUX. *Illustrations de Jacqueline Duhême, n° 180.*

CHANSON DES ESCARGOTS QUI VONT À L'EN-TERREMENT. *Illustrations de Jacqueline Duhême, n° 198.*

LE CANCRE. *Illustrations de Jacqueline Duhême, n° 219.*

CHANSON POUR LES ENFANTS L'HIVER. LES PRODIGES DE LA LIBERTÉ. *Illustrations de Jacqueline Duhême, n° 243.*

Folio Junior

CONTES POUR ENFANTS PAS SAGES. *Illustrations d'Elsa Henriquez, n° 21.*

LETTRE DES ÎLES BALADAR. *Illustrations d'André François, n° 25.*

JACQUES PRÉVERT UN POÈTE. Folio Junior en Poésie, *n° 857.*

Album Jeunesse

PROSPER AUX ENFERS. *Illustrations de Jacqueline Duhême.*